BOUCAR DIOUF

BOUCAR DISAIT...
POUR UNE RAISON
X ou Y

LES ÉDITIONS **LA PRESSE**

Catalogage avant publication de Bibliothèque et Archives nationales du Québec et Bibliothèque et Archives Canada

Diouf, Boucar, 1965-
Boucar disait... pour une raison X ou Y
ISBN 978-2-89705-571-4
1. Reproduction humaine. 2. Éducation sexuelle. I. Titre. II. Titre :
Pour une raison X ou Y.
QP251.D56 2017   612.6   C2017-940653-1

Présidente : Caroline Jamet
Directeur de l'édition : Jean-François Bouchard
Directrice de la commercialisation : Sandrine Donkers
Responsable, gestion de la production : Emmanuelle Martino
Communications : Annie-France Charbonneau et Paul Gilbert

Éditeur délégué : Yves Bellefleur
Illustrations : Philippe Béha
Conception graphique : Célia Provencher-Galarneau
Révision linguistique et correction d'épreuves : Michèle Jean
Photo de l'auteur : Jean-François Bérubé

L'éditeur bénéficie du soutien de la Société de développement des entreprises culturelles du Québec (SODEC) pour son programme d'édition et pour ses activités de promotion.

L'éditeur remercie le gouvernement du Québec de l'aide financière accordée à l'édition de cet ouvrage par l'entremise du Programme de crédit d'impôt pour l'édition de livres, administré par la SODEC.

Nous reconnaissons l'aide financière du gouvernement du Canada par l'entremise du Fonds du livre du Canada (FLC).

LES ÉDITIONS **LA PRESSE**
Les Éditions La Presse
750, boul. Saint-Laurent
Montréal (Québec)
H2Y 2Z4

AVANT-PROPOS

À six ans, mon fils Anthony, comme tous les garçons de son âge, tient mordicus à savoir comment on fait des bébés. Et il a beau me la poser, comme ça, candidement, j'ai le sentiment que ce genre de question ne se pose pas, tout doucement, comme une jolie cigogne dans une feuille de chou. Je commence alors mon laïus. Cinq minutes plus tard, à voir les points d'interrogation clignoter dans ses yeux noisette, je me dis que la réponse que je lui sers conviendrait davantage dans la formation des maîtres. Je revois donc mon approche et vois ses yeux s'éclairer. Victoire ! Une semaine plus tard, l'idée me vient de pondre ces lignes en pensant aux parents et aux futurs parents, ceux qui auront à servir à leurs gamins une réponse à cette interrogation en apparence banale, mais bien complexe, sur la perpétuation de notre espèce. Ainsi sont nés ce bouquin et le spectacle sur le même sujet intitulé *Pour une raison X ou Y* que j'ai présenté au Québec pendant trois ans.

· · ·

Généralement, quand vient le temps de parler aux enfants de la conception des bébés, nous avons l'étrange réflexe de cacher cette réalité derrière des images d'une étonnante immaturité. Pensons à la cigogne express, à l'abeille frénétique ou aux maternelles feuilles de chou. Pour ma part, je suis convaincu qu'on sous-estime l'intelligence des enfants et qu'il faudrait, à partir d'un certain âge, leur dire la vérité sans l'enrober de substantifs enfantins. Si on continue à dire aux enfants que les petits garçons naissent dans les choux et les petites filles dans des roses, il y a de fortes chances qu'à l'âge adulte ils ne fassent pas la différence entre sexe et jardinage.

Un jour, j'entends ma conjointe dire à notre fils Anthony d'attendre d'être seul dans sa chambre avant de caresser son petit oiseau. Le biologiste en moi réagit : «Caroline, il faudrait arrêter de lui faire accroire qu'il a un petit animal domestiqué sous son pyjama ! Si tu continues sur cette lancée, penses-tu qu'il sera rassuré une fois devenu adulte d'apprendre que le minou de sa blonde pourrait avaler son petit oiseau ?» Et après on se demande pourquoi les hommes craignent de se faire observer par un chat pendant les ébats amoureux.

Donc, pour parler de sexualité avec les enfants, chers parents, il est primordial à partir d'un certain âge de désigner les bonnes choses par leurs vrais noms. J'insiste. Si vous ne le faites pas pour vous, faites-le au moins pour leurs enseignants de biologie. Lorsque j'ai commencé à donner des cours de physiologie de la reproduction, j'ai rapidement remarqué que le simple fait de parler de pénis, de vagin ou de spermatozoïde suffisait à faire dégringoler l'intelligence collective de la classe de 50 %, et ce, même dans un amphithéâtre universitaire. L'éducation sexuelle à l'ancienne a des limites.

J'imagine parfois le petit Québécois des années 1930 s'interroger sur la conception des bébés. Il approche de sa mère, tout affairée à préparer le souper pour la petite famille de douze, et finit par lui poser la question. Embêtée, elle lui sort sa salade, la traditionnelle, celle aux choux. Comme il n'est pas une poire, il sait que maman est dans les patates. Au lieu d'aller droit au but, elle épluche les fruits et légumes. « En gros, maman, dit l'enfant, je dois plus tard ôter la pelure de ma banane avant de la mélanger à la cerise ou à la figue de la voisine. Et si je veux faire pousser ma carotte, mieux vaut planter ma graine dans un jardin secret et labourer. C'est bien ça ? »

Mais le petit Québécois des années 1970 n'est pas plus avancé. Je pense à celui qui pose cette même question existentielle à son papa, dans son garage, tout affairé à réparer sa vieille automobile. Aussi embêté, le paternel lui déballe la quincaillerie lourde : il lui parle de tuyau et d'embout, de manche et d'écrou, d'engin, de pieu, de tige et d'huile, lui rappelant l'importance d'être « bien d'équerre » pour réussir les travaux. « Et n'oublie pas de mettre du cœur à l'ouvrage, mon gars. » Avant de sortir du garage, le garçon résume : « En gros, papa, j'ai beau avoir un bon outil, il vaut mieux que je prenne de l'expérience avec le travail manuel avant de proposer à la voisine de rénover son sous-sol. »

Et comme ses parents sont tous les deux au boulot, le petit Québécois du XXIᵉ siècle grimpe à la chambre de son grand frère pour obtenir une réponse à sa question. Le grand ado lui parle, les mains agrippées à la manette de jeu, les yeux rivés sur l'écran où explosent des tanks virtuels : « Ton organe sexuel, frérot, c'est une arme de guerre ! Tu dois attendre que ton soldat soit au garde-à-vous avant de tirer un bon coup. » Le petit frère dit alors : « J'ai compris. En gros, je dois sortir mon fusil, ma carabine ou mon canon pour atteindre la cible que je désire. Mais, si je la rate ? » Et le grand frère répond : « Ne t'inquiète pas, cet engin est muni d'une tête chercheuse vraiment au point. Et puis, tu peux toujours compter sur les forces alliées pour manipuler sa trajectoire. »

Moi, je plaide pour un retour rapide des cours d'éducation sexuelle, car nombreux sont encore dans nos sociétés dites modernes, les gens qui ont toujours de la difficulté à comprendre, comme disait mon grand-père, que pour jouer avec des fesses sans en avoir l'autorisation bien claire, mieux vaut les avoir dans ses propres caleçons. Lutter contre cette culture du viol de plus en plus décriée nécessite le retour à des cours d'éducation sexuelle décomplexés pour les ados et les élèves à la fin du primaire. Pourquoi pas un cours d'éthique et de culture sexuelle pour contrer de façon durable les effets délétères d'Internet sur une certaine jeunesse? Ce serait le rendez-vous idéal pour faire comprendre à tous qu'un non n'est pas le début d'un oui potentiel pour celui qui sait insister, mais plutôt une ligne bien claire qui sépare les séducteurs des criminels. Un non peut tout aussi mettre fin abruptement à un oui potentiel. C'est un peu la même chose que lorsqu'on cherche une maison. On peut se rendre très loin dans le processus d'achat, mais tant que l'offre n'est pas signée, on a en tout temps le droit se retirer. Évidemment, il se peut que notre désistement déçoive l'agent d'immeuble qui se voyait déjà conclure une vente, mais ça, c'est son problème.

Qu'est-ce qui est mieux? Enseigner aux jeunes la vérité scientifique, la mesure et le respect, ou laisser Internet leur faire croire que les femmes éprouvent un plaisir fou en vociférant en moins de 30 secondes dans une position qui favorise surtout le plaisir de l'homme? Si la maison ne peut t'éduquer, la jungle finit souvent par s'en charger. Et dans la touffue jungle de la Toile, même les cours 101 sur la sexualité sont matière à pornographie extrême. Ce qui décuple les risques de dérive des étudiants, car celui qui toujours nage dans un univers où le *gang bang*, le viol et l'esclavage sexuel sont constamment mis en scène et banalisés peut, avec le temps, s'imprégner de cette agressivité et confondre la fiction et la réalité. On est bien loin de l'époque où la section soutien-gorge du catalogue de Sears faisait augmenter la testostérone sanguine des jeunes hommes dans les sous-sols des bungalows.

En matière de sexualité, quand le Web devient professeur, les diplômés ont de grandes chances de rester analphabètes. D'ailleurs, bien des sexologues rapportent que de plus en plus de jeunes hommes ont des problèmes érectiles induits par leur surconsommation de pornographie. Pour cause, voir une femme normale toute nue n'est plus assez pour les allumer. Ce qui est bien logique, car lorsqu'on est un grand champion de la conduite virtuelle, il se peut que monter dans une vraie voiture avec de vraies contraintes et l'obligation de respecter le Code de la sécurité routière amoindrisse notre excitation.

Je voulais donc dans cet exercice poser une brique dans la reconstruction de cette éducation à la sexualité qu'il faut absolument ramener dans nos écoles pour empêcher le train de l'égalité entre les sexes d'entamer son recul. Si j'ai choisi d'approcher le sujet sous un angle humoristique, c'est pour mieux capter l'attention des plus jeunes. Le rire est un outil pédagogique très puissant qui permet de sarcler le cerveau des étudiants avant d'y semer des graines et de catalyser leur curiosité pour un sujet. Évidemment, je parle surtout ici de biologie et cela ne suffit pas à tout expliquer. En plus de la biologie, il faudra regarder du côté de la psychologie, de la sexologie et de la sociologie pour mieux comprendre cette grande histoire au centre de l'existence humaine.

INTRODUCTION

Si nous tenons à comprendre l'histoire de la sexualité humaine, il ne faut pas nous affranchir totalement de notre histoire évolutive. Mon grand-père, dans sa sagesse incontestable, dirait qu'appréhender le présent et préparer le futur nécessitent des coups d'œil dans le rétroviseur de la vie. C'est la meilleure façon de distinguer la part de la culture de celle de la biologie, qui interagit dans la détermination de nos comportements. Car aujourd'hui, l'humain, si jeune dans l'échelle géologique, est confronté à deux types d'évolution : l'une est culturelle et l'autre génétique. Et si nos transformations culturelles progressent à la vitesse du guépard, notre génétique, elle, change à pas de tortue.

Quand j'étais jeune, dans ma savane, on frappait les tam-tams pour annoncer des événements comme les mariages, les naissances et autres rites. Aujourd'hui, quand j'y retourne, même les bergers se promènent avec des téléphones cellulaires. Dans les télécommunications, certains sont passés du tambour au téléphone portable sans avoir connu la ligne fixe. En dépit de ces fulgurants bouleversements culturels, l'humain n'est pas un animal nouveau en ce qui concerne sa génétique. Comme le disait Cyrille Barrette, professeur émérite de l'Université Laval, à Québec : « Notre manteau culturel est très épais et très visible, mais dessous, nous sommes toujours le même animal nu qu'il y a 50 000 ans, un animal dont les reliques génétiques des temps anciens murmurent encore dans les profondeurs. »

Cette part de l'animal en nous qu'on souhaite dompter nous joue parfois de sales tours. Nos sociétés ont, souligne monsieur Barrette, inventé des lois, des chartes et des prisons pour punir ceux qui expriment trop leur animalité. Ces gens font souvent les manchettes pour des comportements et des actions incompréhensibles. Quand l'humain verse dans la violence, le meurtre, l'infidélité, la jalousie ou la gourmandise, au-delà de la culture, on peut penser qu'une petite part de cet héritage biologique risque d'échapper à notre fouet et de carrément refuser de se faire museler.

Comment dans ce cas concilier la modernité avec ces vestiges hérités des temps anciens qui sommeillent dans nos cellules ? Monsieur Barrette propose de développer une nouvelle forme d'intelligence : une sorte de cadenas pour enfermer cette part de nous incompatible avec l'harmonie sociale. Dans tous les domaines de sa vie, y compris la sexualité, l'humain est tiraillé entre ce que les religions, les lois et la morale lui interdisent et ce que sa génétique essaye de lui imposer. Ce ne sont pas les exemples pour l'illustrer qui manquent. L'infidélité, par exemple, est sévèrement punie dans la plupart des sociétés.

Pourtant, l'humain semble pourvu d'une déloyauté conjugale presque innée. Si bien, qu'à l'égard de l'adultère, on pourrait séparer les humains, et plus particulièrement les hommes, en deux catégories : ceux qui sautent activement la clôture et ceux qui la sautent virtuellement. Bref, dans les deux cas, le concept de transgression demeure. On ne naît pas fidèle, on le devient, par amour et par respect pour l'autre qui partage notre existence. On y arrive en combattant notre bonobo intérieur, Messieurs. Personne ne sera surpris d'apprendre que ce sont des hommes désireux de retrouver le vicieux singe qui ont ouvert la possibilité d'avoir plusieurs épouses.

L'humain est l'une des rares espèces à séparer le sexe de la procréation et à imaginer une multitude de gadgets pour pimenter ses ébats amoureux. En outre, pour contrôler la fécondation et le développement d'un fœtus, il a inventé divers contraceptifs et utilitaires, dont le condom, la pilule, le stérilet, la vasectomie, la reproduction in vitro, la conservation des ovules et des spermatozoïdes par le froid, et j'en passe. Ce fossé entre sexe et procréation, notre espèce le partage en partie avec les grands singes comme les bonobos, des cousins très proches dont l'ancêtre commun remonte à six ou sept millions d'années.

La dissociation entre les fonctions reproductives et l'activité sexuelle serait à l'origine du grand sentiment humain de l'amour. Cette émotion est d'ailleurs plus difficile à mettre en évidence chez les espèces où l'accouplement, périodique, ne sert qu'à faire des petits – ce qui n'est pas notre cas. Surtout, nous aimons parce que le corps humain est érotique, du moins pour ceux qui daignent prendre le temps de l'explorer, car le sentiment de l'amour nous pousse à vouloir toucher, embrasser, sentir et regarder. Cette sexualisation généralisée du corps au-delà des parties génitales serait d'ailleurs, selon Pascal Picq, à l'origine de l'invention des vêtements. Ce pape de la paléoanthropologie avance même que l'érotisation du corps est à la base de la culture et qu'elle inspire tous les arts, dont l'habillement, les parures, le maquillage, la danse, etc.

Ainsi, l'humain se distingue dans le règne animal par sa capacité à érotiser son corps. Les fétichistes, par exemple, s'adonnent à des parades dans lesquelles toutes les zones corporelles ont un potentiel érogène. De plus, non contents d'avoir totalement intellectualisé notre sexualité, nous l'avons codifiée et flanquée de règlements, d'interdits et de tabous qui génèrent ce lien, que nous sommes les seuls à entretenir, entre le sexe et la peur, entre le sexe et la mort.

Nous sommes les rares animaux à faire l'amour en cachette, ce qui constitue un avantage notable. Chez les autres mammifères, la copulation se fait habituellement devant le reste du groupe et elle est très limitée dans le temps. Or, cette possibilité de se cacher pour s'unir aurait sans doute incité à prendre notre temps, histoire de bien faire monter la meringue, disent certains scientifiques ! Elle nous a permis de développer des célébrations amoureuses où les préliminaires sont aussi importants que la conclusion, ce qui nous distingue de plusieurs autres espèces pour qui l'accouplement est un instant de vulnérabilité face aux prédateurs. Lorsqu'en montant celle qui précède, on peut en tout temps devenir le repas de celui qui nous suit, se dépêcher de livrer la semence et retourner à son état de vigilance naturelle devient salvateur. Confortablement installés dans leurs cachettes, loin des prédateurs, les humains ont fait de l'amour une histoire de cœurs qui se contractent à la même cadence.

La sexualité de l'*Homo sapiens* et ses parades nuptiales sont d'une complexité et d'une singularité incontestables dans le monde animal. Tandis que chez la grande majorité des mammifères, la disponibilité sexuelle est saisonnière, la femme, elle, est capable d'avoir des relations sexuelles toute l'année, y compris durant sa grossesse. Lorsqu'il s'agit de pulsion, même si se faire qualifier de bête sexuelle chatouille l'orgueil masculin, l'humain, qui s'est toujours présenté dans une classe à part, accepte difficilement son côté animal. Pourtant, plus on étudie ces primates, plus on se rend compte que la grande parenté génétique et culturelle entre notre espèce et certains grands singes est indéniable, y compris dans la façon de célébrer la sexualité.

Le primatologue Frans de Waal parle de l'*Homo sapiens* comme d'un intermédiaire entre un bonobo et un chimpanzé. Le côté violent, compétitif et possessif du chimpanzé et le côté « dévergondé » du bonobo cohabitent en nous, selon lui. « Le chimpanzé, dit-il, règle les problèmes de sexe avec le pouvoir, et le bonobo règle les problèmes de pouvoir avec le sexe. » Autrement dit, si une tension sociale se pointe, pendant que les chimpanzés se chamaillent pour la désamorcer, les bonobos pensent partouze ! Et, pendant que le chimpanzé fait la guerre pour l'amour, le bonobo, lui, fera l'amour pour éviter la guerre. Voilà en partie pourquoi ces primates *peace and love* forment une société plus altruiste et plus paisible que les chimpanzés. Ils sont à la forêt congolaise ce que les hippies des années 1970 étaient à l'humanité. Sans les comparer aux bonobos, disons plutôt que les hippies ont tenté de réveiller le bonobo en eux avec l'amour libre, sauf que cette ère de partouzes n'a pas duré longtemps : les maladies sexuellement transmissibles sont venues rapidement les repositionner entre les deux cousins.

Mais bien avant les maladies transmises par les unions charnelles, les religions se sont ingéniées à chasser le sang de bonobo de notre corps en érigeant des montagnes de tabous et d'interdits autour de notre sexualité. Toutes les pratiques s'éloignant de la position du missionnaire, sacrée et immuable après le mariage hétérosexuel, ont été diabolisées. Pendant que chez les bonobos, fellations, masturbations et attouchements de toutes sortes sont de banals passe-temps, dans sa grande clairvoyance, notre Dieu a tracé pour nous la ligne à ne pas franchir. Il savait que si on devait régler nos différends en plongeant goulûment dans le sexe, l'humanité deviendrait un énorme club échangiste (et nos parlements, un haut lieu de débauche) ! Alors, depuis l'épisode honteux du jardin d'Éden, un système moral de règles et de censures d'une redoutable efficacité n'a cessé de faire de notre vie sexuelle l'une des plus compliquées du grand groupe des mammifères. Que reste-t-il donc d'animal dans notre sexualité ?

Quand j'entends les gens parler d'amour, de sexualité et de parentage, j'écoute parfois avec les oreilles d'un enfant ayant grandi dans une famille polygame et, d'autres fois, avec celles d'un père monogame vivant avec sa petite famille nucléaire dans un banal bungalow de banlieusards. Mais, la plupart du temps, je ne peux résister à la tentation de regarder les sentiments humains avec les yeux d'un biologiste, convaincu qu'on néglige trop souvent la part des hormones, mais aussi des autres molécules cérébrales dans les relations amoureuses. Certains de mes amis trouvent, à raison, que je charrie en réduisant parfois le couple à un modèle biologique. Mais, je les rassure : les sentiments humains sont trop complexes pour être expliqués par la seule logique scientifique. D'un autre côté, la part animale en nous est occultée à cause de ces conventions sociales, rigides et contraignantes, mais indispensables. La sagesse populaire ne nous enseigne-t-elle pas qu'on a beau chasser le naturel, il revient toujours au bungalow ? Je crois aussi qu'on apprend à aimer, à vivre en couple, à fonder une famille et à éduquer des enfants.

Étant donné qu'il n'y a aucune forme d'exploration sur la sexualité humaine qui est à l'abri de la critique, je dois aussi exprimer quelques précisions avant d'entrer dans le cœur de mon sujet. Comme vous vous en doutez, je suis de ceux qui pensent que la culture et la socialisation sont des déterminants majeurs du comportement sexuel humain. Je crois également que l'incroyable développement de notre cortex cérébral a compliqué la séparation des parts de l'inné et de l'acquis dans notre sexualité. Sauf que, comme la grande majorité des scientifiques, je suis convaincu que l'attirance sexuelle, l'amour et l'attachement doivent aussi beaucoup à la biologie.

Vous trouverez dans cet exercice de vulgarisation qui se veut aussi humoristique un ensemble d'informations et de réflexions sur la reproduction humaine. Évidemment, certaines des recherches citées sont à prendre avec des réserves ; après tout, dans ce merveilleux domaine des sciences de la sexualité humaine, l'évidence n'est jamais ce qui saute aux yeux – et ce n'est pas parce que c'est publié que c'est incontestable. Dans le domaine, ce que les psychologues évolutionnistes, les anthropologues et les sociobiologistes tiennent pour des certitudes est souvent remis en cause par les neurobiologistes.

« Dans sa construction, dit Catherine Vidal, spécialiste française des neurosciences, le cerveau incorpore toutes les influences de l'environnement, de la famille, de la société, de la culture. Il en résulte que chacun de nous a sa propre façon d'activer son cerveau et d'organiser sa pensée. »

Cette impressionnante plasticité cérébrale rend la séparation entre la part de l'inné et celle de l'acquis extrêmement périlleuse dans nos comportements sexuels. Méfions-nous, dit-elle, des affirmations très répandues dans la psychologie évolutionniste. Une certaine presse de cette discipline a tendance à plaider avec certitude que la sélection naturelle a depuis la préhistoire façonné génétiquement les hommes en chasseurs et les femmes en cueilleuses, une franche séparation des rôles qui influence nos comportements encore aujourd'hui. Toujours selon ce diktat, les hommes sont nécessairement plus compétitifs et les femmes qui s'occupent plus naturellement des enfants excellent davantage dans la communication et la coopération.

Certains de ces postulats simplistes et pseudo-scientifiques trouvent écho dans une presse, disons, racoleuse ; elle a, selon Catherine Vidal, pris beaucoup de place. Pour tous les scienti-

fiques souhaitant s'aventurer sur le terrain glissant des différences innées entre les hommes et les femmes, cette sagesse
que l'on doit au biologiste français nobélisé François Jacob
est de mise : « Toutes les découvertes démontrent que l'être
humain est programmé, mais programmé pour apprendre. »
Cette affirmation est valable pour les sexualités humaines.
On apprend aussi à bien vivre en couple, embrasser, faire
l'amour, vivre une grossesse, s'occuper d'un bébé, etc.

Même si je parle beaucoup d'hétérosexualité dans ces pages,
je milite activement pour le respect et l'acceptation de toutes
les minorités sexuelles. Le sexe n'a pas juste une fonction
reproductive. Il inclut des dimensions socioaffectives qui sont
aussi importantes dans le monde animal que le simple fait de
passer ces gènes à la génération suivante. La biologie voit
l'immortalité dans les spermatozoïdes et les ovules gardiens
de notre ADN, mais il existe d'autres façons de laisser ses traces
sur cette Terre. S'il est vrai, comme le disent les Malgaches,
qu'un homme n'est vraiment mort que lorsque les vivants
l'ont oublié, aimer et être aimé sont tout aussi porteurs d'immortalité.

Je crois qu'adopter un enfant et lui donner de l'amour, aimer
une personne du même sexe et faire du bien autour de soi sont
souvent plus porteurs de sens que le simple fait de perpétuer
ces gènes en entrant un spermatozoïde dans un ovule. Le
darwinisme coopératif de Joan Roughgarden et son arc-en-ciel
de l'évolution, qui humanise le sujet et nous incite à plus de
tolérance et d'ouverture, m'inspire. L'approche évolutionniste
de la sexualité de cette biologiste, qui est elle-même issue des
minorités sexuelles, est novatrice.

Ces indispensables mises en garde étant bien posées, quand vous parcourrez ce bouquin, dont le style d'écriture est plus prosaïque que scientifique, entre la vérité scientifique, le doute et l'anecdotique, j'espère surtout que vous garderez le sourire tout au long.

Ce livre parle de la genèse de la famille. Le hic, c'est que vous savez déjà comment on fait une famille : on séduit, on aime, on féconde, puis c'est la grossesse, l'accouchement et la vie de parent. Vous pourriez, en somme, arrêter votre lecture ici, à moins que vous décidiez de plonger avec moi dans cette mer multidisciplinaire où se mélangent biologie, anthropologie, sociologie, histoire et anecdotes de toutes sortes. Souriez !

Ah ! j'ai oublié de vous dire une chose très importante ! Il y a un menu qui vous permet de lire les parties qui vous intéressent dans l'ordre que vous voulez. Vous pouvez choisir la table d'hôte et passer à travers le bouquin ou le considérer comme un buffet et choisir ce que vous avez envie de découvrir et de déguster.

Chapitre 1
TU ME PLAIS

Beauté et séduction

En latin, *seductio* signifie « mettre à part ». Pour se donner une chance, la sagesse populaire bien inscrite dans ce mot commande d'isoler celle qui nous est tombée dans l'œil de son groupe d'amis. C'est une version humanisée de la technique de chasse des grands prédateurs. Il faut séparer la gazelle du groupe pour augmenter ses chances de l'attraper, car l'influence des autres complique très souvent toute tentative de séduction. De la même façon, quand un jeune homme un peu prétentieux fonce sur un groupe de filles qui se déhanchent sur une piste de danse, l'élue risque de disparaître comme se dispersent les poissons dans un banc sous l'attaque d'un prédateur. Il est vrai que pour séduire, il faut capter l'attention, fasciner, éloigner la concurrence, isoler la choisie et lui faire croire que nous sommes la meilleure, voire l'unique option valable dans les environs. Après, la délicatesse, le respect et la mesure demeurent les armes les plus efficaces pour transformer une rencontre en relation.

UNE BELLE FLEUR

La séduction est si importante dans le vivant que les plantes à fleurs aussi s'adonnent à leur façon à ces parades. Et dans ce domaine, elles ont des millions d'années d'avance sur l'espèce humaine. Encore aujourd'hui, elles se font belles, se parfument, arborent des couleurs vives, s'arrangent le portrait floral, bref, elles exhibent ostensiblement leurs attraits pour faciliter la rencontre entre le pollen (la partie mâle de la fleur) et le gynécée (sa partie femelle). Adeptes des triangles amoureux, les plantes n'ont aucune honte à payer des entremetteurs pour mieux «florniquer». Ici, le prix se mesure en millilitres de ce nectar sucré dont raffolent ces maquereaux ailés butineurs que sont les abeilles, les papillons, les moustiques, les colibris, les chauves-souris et bien d'autres pollinisateurs.

Il existe une plante des forêts humides indonésiennes qui, en plus de prendre la forme d'une viande en putréfaction, en dégage l'odeur pour attirer les insectes pollinisateurs. Cette plante s'appelle *Rafflesia arnoldii* et elle produit la plus grosse fleur au monde. Certaines inflorescences peuvent atteindre un mètre de diamètre et peser jusqu'à 11 kg. Une fleur qui se déguise en viande pour attirer les mouches qui faciliteront sa reproduction, c'est quand même très fort comme stratégie évolutive. C'est comme si un gars se métamorphosait en chou-fleur pour draguer une végétarienne intégriste qui lui est tombée dans l'œil. Que ne ferait-on pas pour se reproduire ? Voilà peut-être la fleur qui a inspiré la robe de viande que portait la chanteuse Lady Gaga à l'occasion des MTV Video Music Awards de 2010.

Les fleurs sont des organes reproducteurs de plantes et il ne faut jamais négliger ce détail, chères dames. Lorsque que le galant que vous avez invité pour la première fois arrive chez vous avec un bouquet, dites-vous que c'est parce qu'il cherche à butiner ou à conter fleurette. Heureusement, la majorité des femmes ont bien compris ce principe élémentaire de la séduction. La première fois que je suis allé chez ma blonde, je suis arrivé avec des fleurs. Elle a pris le bouquet et m'a dit :

— Boucar, veux-tu une bière ?

— Oui, avec plaisir !

— Quand tu iras en chercher au frigo, tu m'en amènes une.

Puisque l'amour est aveugle, mon grand-père m'a enseigné qu'il fallait tâter longtemps avant de trouver la bonne personne. Avec elle, j'ai compris que l'égalité entre les sexes, ce n'est pas juste des paroles. Seize années plus tard, je suis aujourd'hui plus que certain d'avoir épousé une fleur rare.

VOIR LA VIE EN ROSE

Je vais vous raconter une théorie évolutionniste qui fait sortir les griffes à bien des féministes et je les comprends un peu. Une mutation génétique très ancienne aurait donné aux humains et aux singes la vision trichromatique – ce terme désigne tout simplement notre capacité à distinguer le bleu, le vert et le rouge. Selon deux scientifiques, Anya Hurlbert et Yazhu Ling, de l'Université de Newcastle au Royaume-Uni, cet acquis a été d'un grand secours à nos ancêtres lointains quand venait le moment de localiser les fruits mûrs dans les frondaisons vertes des arbres.

Puisque la femme s'est traditionnellement occupée de la cueillette pendant que son homme traquait le gibier, elle a, au cours de l'évolution, développé une meilleure vision des couleurs que son chasseur. Elle a aussi une incontestable supériorité pour ce qui est de la distinction des teintes comprises entre le rose et le rouge, car les fruits et baies mûrs sont souvent dans ce spectre de coloration. De ce fait, là où l'homme verra simplement du rouge, bien des femmes seront capables de faire la différence entre corail, saumon, bordeaux, fuchsia et framboise. Même si Monsieur revient à la maison avec du rouge à lèvres sur le col de sa chemise, c'est souvent sa femme qui lui fait réaliser sa bourde.

Toujours selon Anya Hurlbert et Yazhu Ling, la femme aurait également, à cause de cette longue histoire de cueilleuse, développé son fameux sixième sens, c'est-à-dire sa capacité à lire les émotions des autres à partir des discrets changements de couleur sur leur visage. Les émotions engendrent en effet souvent des vasodilatations périphériques qui, pour un œil averti, sont aisément perceptibles. Le rougissement des joues en est un exemple. Par contre, lorsque ce changement est plus ténu, les femmes seraient en général plus aptes à le percevoir que les hommes. Par conséquent, si un bébé est en train de s'étouffer, il y a de fortes chances que la maman s'en rende compte la première. Et cette même sorcellerie évolutive lui est très précieuse pour détecter le baratin de son homme quand il essaye de lui faire croire qu'il avait simplement un dossier urgent à terminer au bureau.

Si les femmes se passionnent encore pour le rose, disent ces évolutionnistes, c'est que dans les souvenirs tapis au fond de leurs cellules, cette couleur serait encore associée à la survie de la famille. Alors, lorsque vient la Saint-Valentin, si vous avez le choix entre offrir du chocolat ou cueillir des roses pour votre amoureuse, je vous conseille, Messieurs, de choisir les fleurs pour deux raisons. La première, parce que c'est une belle façon de remercier les femmes pour leur contribution à l'ascension de l'espèce humaine, une contribution souvent marginalisée au profit de la chasse, activité mâle qui rafle peut-être injustement tous les honneurs. La deuxième raison pour laquelle il faudrait donner des roses aux demoiselles, c'est qu'en plus de contenir de la phényléthylamine, qu'on pense impliquée dans le coup de foudre, le chocolat provoque, au niveau cérébral, la sécrétion d'un cocktail moléculaire qui procure un plaisir presque orgasmique à bien des femmes. Comme le disait mon grand-père, il ne faut jamais encourager la concurrence.

TU M'ES TOMBÉE DANS L'ŒIL

Dans les parades de séduction, la pupille dilatée de la femme serait, selon les spécialistes, dont le psychologue américain Eckward Hess qui est un pionnier de la pupillométrie, un indice de magnétisme fiable. Ce changement dans le regard est commandé par le système nerveux par la voie du muscle dilatateur de l'iris. Rappelons que l'amplification de la pupille humaine se produit souvent dans des situations qui nécessitent une attention visuelle accrue ou lorsqu'une personne vit des émotions fortes. Les enfants, par exemple, présentent ce signe quand ils sont subjugués par un cadeau qu'ils viennent de recevoir. De plus, notre pupille se dilate dans des endroits obscurcis. Cette adaptation permet de faire entrer plus de lumière dans l'œil et, *de facto*, d'améliorer notre acuité dans l'obscurité. Cette particularité donnerait donc au mâle la possibilité de mieux percevoir les signes de séduction, dont les fameuses pupilles dilatées de la belle, dans des environnements tamisés comme les bars et les restaurants. À ce propos, les dîners aux chandelles, prisés par les femmes, se révéleraient une stratégie pour attirer le regard de l'homme et, ainsi, décupler les charmes de celle qui veut le séduire, disent des scientifiques.

Si les hommes adorent les grandes pupilles féminines, des études menées à l'Université York à Toronto par Selina Tombs et Irwin Silverman ont rapporté que les femmes préfèrent plutôt, chez les hommes, des pupilles modérément dilatées. Cela proviendrait, d'après les auteurs, d'une époque lointaine où grosses pupilles signifiaient, pour la femelle, mâle agressif et, éventuellement, père absent. C'est une question de testostérone sanguine. Si à la maison vous avez une adolescente dont le corps commence à se réveiller, dites-lui de se méfier des aspirants aux pupilles trop dilatées : ils seraient porteurs de liaisons dangereuses. Loin des yeux loin du cœur peut, dans ces cas, s'avérer salvateur.

La chimie des sentiments humains et les parades qui l'accompagnent doivent indéniablement à notre long passé évolutif. À force d'étudier la valse des amoureux et leurs jeux de séduction, les spécialistes ont rapporté des signes qui ne trahissent pas. Chez la femme, ils parlent entre autres du regard furtif, des mouvements de la tête, du tassement instinctif des cheveux pour dévoiler le cou et du désir de converser. Chez l'homme, l'amplitude des mouvements des bras qui est un signe d'occupation du territoire par un mâle dominant semble faire consensus dans la littérature. Les hommes bourrés de testostérone seraient aussi plus portés à se permettre de toucher les autres sans autorisation. Mais attention à tous les tactiles ! Il est fini le temps des chasseurs de mammouths. « C'est le respect et la sensibilité qui font la grande différence entre aimer les femmes et aimer les femelles », dit parfois ma conjointe.

Lorsque l'intérêt est mutuel, disent les experts, il arrive que les vis-à-vis synchronisent leurs gestes. Ils soupirent en même temps, attrapent leur verre et le portent à la bouche et penchent la tête de façon synchrone, un peu comme ces oiseaux qu'on voit parfois danser dans les documentaires animaliers. C'est probablement d'eux, en outre, que nous avons hérité ces parades prénuptiales. Ainsi, comme les rossignols au printemps, les amoureux chantent la pomme et abusent des compliments et des petits mots doux pour décupler leur importance aux yeux de l'autre. Les tourtereaux sont parfois de drôles d'oiseaux! C'est le début de la passion.

Quand l'autre qui accepte d'entrer en parade avec nous finit par envahir notre cerveau émotionnel de façon fulgurante. Quand mystifié et subjugué, notre cerveau voit en la personne désirée l'incarnation de la perfection, c'est le début de la passion. Vous savez que Cupidon a touché sa cible lorsque les pets de votre tendre moitié sentent la vanille, disait mon grand-père.

QUAND LA SCIENCE ESSAYE D'ÉLUCIDER LA BEAUTÉ

Dans notre imaginaire collectif, les qualités sont souvent asso-ciées à la beauté et les défauts, à la laideur. Les contes de fées sont garnis de jolies princesses – les héroïnes, évidemment – qui doivent être protégées des sorcières hideuses ou des affreux tortionnaires. Ainsi, comment voulez-vous que les apparences physiques ne deviennent pas une obsession imprimée dans le cerveau reptilien des humains qui ont écouté ces poésies infantiles ? Comment voulez-vous qu'en cette ère de l'image « photoshopée », une masse de gens ne soient pas prêts à risquer leur santé pour correspondre aux archétypes de beauté, en grande partie imposés par la télévision et le cinéma ?

Quoiqu'on interprète la beauté comme un concept subjectif et multiforme, la science a une manière bien à elle de la décrire. Même s'il est vrai que chaque culture a sa façon d'évaluer la beauté, une certaine vision évolutionniste raconte que ce que nous trouvons très beau chez l'autre est en partie un indice de qualité de ses gènes ; c'est une expression ostensible de sa fécondité. Parmi les critères de beauté universels rapportés par la science, la symétrie du visage arrive en tête de liste. Les marques de dissymétrie innées seraient indicatrices de perturbations biologiques pendant le développement embryonnaire, ou alors de séquelles laissées par une guerre contre des agents pathogènes au cours de la vie intra-utérine. Les gens affichant un visage symétrique facilitent au cerveau son travail qui peut se contenter de balayer la moitié du visage pour comprendre le tout. La symétrie serait, donc, un critère de beauté universel parce que le cerveau humain est un peu paresseux en matière d'évaluation et de reconnaissance faciales.

Il faut faire la différence ici entre la beauté et le charme qui, lui, est souvent caché dans les petites imperfections. C'est du moins ce que me dit ma brunette en parlant de mes dents, qui sont aussi espacées dans ma bouche que les piquets d'une clôture.

Si on en croit une certaine science, ce qui nous émeut chez l'autre serait en grande partie les effets secondaires des hormones qui façonnent nos corps et nos visages. Pour la femme, le petit menton, la poitrine généreuse, les courbes bien définies et la répartition des graisses sur les hanches sont le résultat d'un dosage optimal des œstrogènes et, par conséquent, des indices de fécondité. Pour l'homme, la mâchoire carrée et les larges épaules trahissent une production optimisée de testostérone, caractéristique des vainqueurs de mammouths d'autrefois.

L'ethnologue américain Randy Thornhill a même découvert que les femmes ayant des relations sexuelles avec des hommes symétriques parviennent à l'orgasme deux fois plus souvent que les autres. Selon lui, cela n'est pas un hasard parce qu'une des fonctions de l'orgasme féminin est de faciliter la rétention du sperme. J'ignore comment ce curieux chercheur a collecté ses données, mais je tenais à partager sa découverte. J'ajouterais toutefois que ce supposé rôle de l'orgasme féminin dans la rétention du sperme a ses détracteurs. Et s'il avait plus de lien avec l'attachement et l'envie de recommencer ?

Puis, il y a cette expérience où, à partir de simples photos, on demandait à des femmes de choisir des hommes d'origine étrangère à la leur. Les entremetteurs interculturels derrière ce travail ont alors remarqué que les hommes affichant une belle symétrie étaient les plus populaires. Ainsi, des Chinoises qui n'avaient jamais côtoyé des Méditerranéens choisissaient très majoritairement les visages les plus symétriques.

Chez les femmes, une taille plus fine que les hanches semble un critère de beauté qui transcende le temps et les cultures. D'ailleurs, un chercheur américain appelé Devendra Singh a démontré que même si les corps des Miss America et des mannequins de *Playboy* se sont affinés avec le temps, le rapport de la taille et du tour de hanche est toujours resté proche de 0,7. Un tour de taille se situant entre 60 % et 80 % du tour de hanche indiquerait un certain équilibre dans le dosage des hormones féminines et, conséquemment, un piège international pour tous les mâles possédés par la testostérone.

UN DIKTAT DE LA BEAUTÉ

Les comportements et les relations humaines sont fortement influencés par la vue. Pourtant, la sagesse populaire n'a cessé de nous dire que les apparences étaient souvent trompeuses. «On ne juge pas un sabre par la couleur de son fourreau, mais par le tranchant de sa lame», disait mon grand-père. Il faut être aveugle pour ne pas réaliser que nos perceptions, nos comportements, nos jugements sont grandement influencés par la beauté. On sourit aux belles personnes, on les trouve souvent plus sympathiques, plus intelligentes, plus sociables. Certains scientifiques rapportent même que les belles personnes ont un succès social beaucoup plus certain que les gens moins favorisés par la nature. Une belle auto-stoppeuse ne reste pas très longtemps sur le bord du chemin. Si une belle grande blonde fait une crevaison, bien des gars se précipiteront pour lui changer son pneu. Pour la même raison, les beaux garçons jouissent aussi d'une attention bien particulière dans les écoles et en milieu de travail.

Même nos comportements avec un bébé changent selon qu'il est beau ou laid. Les beaux enfants drainent toujours toute l'attention autour d'eux par rapport à l'autre poupon qui a une tête énorme, des oreilles d'éléphanteau ou un front fuyant d'australopithèque. Ce comportement est si ancré en nous que lorsqu'on visite des amis nouvellement parents à dîner, on sent le besoin de les complimenter sur la jolie bouille de leur rejeton – même si on a l'impression de regarder le reflet d'un arrière-grand-père dans une bouilloire. Pourtant, la plupart du temps ce commentaire n'est que pur racolage. Comme le disait mon ami Patrick Tremblay, il y en a qui ne sont pas très jolis en sortant, mais le mensonge social bien accepté nous oblige à dire le contraire au parent. Je ne connais personne qui dirait à son ami récemment papa : « Tu trouves qu'il est beau et qu'il te ressemble ? Je croyais sincèrement que tu avais une meilleure estime de toi. Le visage de ce bébé me fait sincèrement penser que la nature devrait faire comme l'industrie automobile et procéder parfois à des rappels pour défaut de fabrication. »

LE COMPLEXE DU PYGARGUE

Pour mieux comprendre le diktat de la beauté sur les sociétés humaines, il faut se pencher sur le cas de l'aigle américain, appelé aussi le pygargue à tête blanche. À première vue, ce rapace imposant au regard perçant symbolise la puissance. Il a d'ailleurs été choisi comme emblème du pays par le Congrès américain, en 1782, sous les conseils de Thomas Jefferson qui invoquait sa beauté et sa prestance. Comme quoi, bien avant Hollywood, l'Amérique était obsédée par les apparences. Si ce pays est le lieu de naissance de la revue *Playboy*, c'est parce qu'on y croit depuis longtemps qu'une image vaut mille mots.

Benjamin Franklin a plutôt proposé d'opter pour la dinde sauvage, une idée que les membres du Congrès écartèrent du revers de la main, protestant qu'on peut difficilement associer la grandeur des États-Unis à ce genre de volatile, rondouillard, goinfre et naïf. (Pas de commentaire !) Reste que, pour reprendre l'ironie de Guy Fitzgerald, clinicien à la Faculté de médecine vétérinaire de l'Université de Montréal, si l'Amérique avait choisi la dinde comme emblème, le pygargue serait aujourd'hui au menu à l'Action de grâce (*Thanksgiving Day*).

Pourquoi Jefferson avait-il poussé la candidature du pygargue comme emblème des États-Unis ? Sa décision a été guidée par les thèses physiognomonistes naissantes de l'époque. Cette pseudoscience enseignait que l'aspect extérieur d'un animal reflétait ses qualités intrinsèques. La physiognomonie, appelée aussi le lombrosianisme, a connu son essor au XIXe siècle sous l'impulsion d'un criminologue italien nommé Cesare Lombroso. Selon les croyances lombrosianistes, le pygargue est beau et majestueux, ainsi il doit être fort et courageux. C'est comme si on disait que Donald Trump est fortuné et blanc, donc il doit être cultivé et présidentiable. En effet, les mêmes pseudo-scientifiques proposaient également un classement des races humaines en fonction de leur intelligence ; évidemment les Blancs trônaient en haut de la pyramide. Ils voyaient les races humaines comme un pâté chinois, avec le blanc en haut, le jaune au milieu et le brun en bas et le ketchup rouge est toujours de côté, en réserve. Je me demande ce qu'en pensent les Autochtones d'Amérique pour qui le pygargue était un animal sacré qu'on respectait pour ce qu'il est simplement.

Mais qu'en est-il des liens biologiques entre la beauté du pygargue et sa noblesse ? La biologiste Catherine Raven nous apprend dans un article publié dans la revue *American Scientist*, en 2006, que cette vision était biaisée. Plus on en apprend sur l'écologie de cet oiseau, plus on a tendance à penser que Franklin avait raison de rejeter la candidature du pygargue comme emblème de son pays. Le pygargue est un peu poltron en plus d'être un piètre pêcheur, lui qui peut parfois manger des poissons agonisants ou carrément morts. Opportuniste, il pique la nourriture d'autres oiseaux comme le balbuzard. Bref, l'aigle américain ressemble à un pirate. En plus, n'en déplaise à ses admirateurs qui se le sont fait tatouer sur l'épaule et qui le paradent sur une Harley pétaradante, le pygargue à tête blanche est très apparenté aux vautours d'Afrique. Et comme leurs proches parents africains, ils aiment manger de la charogne. Je suis certain que s'il lisait cela, Fidel Castro rirait dans sa tombe.

Par ailleurs, aujourd'hui, Thomas Jefferson pourrait passer pour visionnaire. Comme cet oiseau construit les plus gros nids en Amérique du Nord, nos voisins du Sud aussi voient gros : grosses maisons, grosses voitures et des grosses portions. *Think big !*, disait l'autre. En plus, quand on le regarde de près, la tête de cet animal est blanche comme la Maison-Blanche d'avant et après Obama ; son plumage est à la fois bronzé et blanc, comme l'Amérique, et ses yeux sont jaunes, comme cette Amérique qui se sent épiée par la Chine ! Son bec est aussi jaune, comme cette Amérique qui consomme de plus en plus asiatique et qui se fera bientôt plumer par la Chine. La sagesse populaire nous a souvent recommandé de considérer la beauté intérieure, mais dans le cas du pygargue, les apparences ont tout dicté.

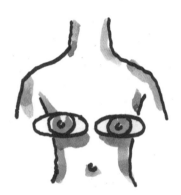

DE BEAUX YEUX ET UNE BELLE POITRINE

Il suffit de regarder comment les Femen font parler d'elles à chacune de leurs actions pour comprendre à quel point l'obsession masculine pour les seins est puissamment ancrée dans notre génétique. Que l'on soit pour ou contre leur stratégie de subversion, chose certaine, ça marche. Pareillement, en mettant sa poitrine en valeur au-dessus du pont Jacques-Cartier de Montréal pour vendre son disque, la chanteuse Marie-Chantal Toupin avait compris que le sein est un leurre publicitaire d'une rare efficacité. Rappelons que cette annonce ciblait principalement les mâles occidentaux sous le contrôle de la testostérone ; je suis certain que les Femen n'auraient pas grand succès en essayant de perturber une réunion du Conseil du statut de la femme.

L'obsession du mâle *Homo sapiens* pour la poitrine féminine mystifie autant les anthropologues que les biologistes et les psychiatres, et ce, depuis des décennies. Et ce ne sont pas les zones d'ombre qui manquent. Selon des sympathisants du darwinisme, c'est notre bipédie qui aurait contribué à sexualiser la poitrine féminine. L'humain étant l'une des rares espèces adeptes de la position du missionnaire, le contact avec les seins pendant les ébats aurait progressivement contribué par la suite à sexualiser ces organes, qui sont là, avant tout, pour nourrir les bébés.

Des scientifiques de l'évolution parlent des seins comme d'une deuxième paire de fesses placées juste à la bonne hauteur par la nature, c'est-à-dire à celle du regard des hommes. Selon la culture et le pays, les hommes sont plus ou moins intéressés par les fesses de devant ou de derrière. C'est ainsi qu'en Occident, on paye des fortunes pour des augmentations mammaires, pendant que des Brésiliennes se font arranger et le derrière et le devant parce que leurs hommes semblent avoir une sensibilité bidirectionnelle.

Si j'ai bien associé ces rénovations corporelles au regard masculin, c'est parce que je ne crois pas ces femmes qui disent en vouloir des plus gros pour leur propre satisfaction. Une fille seule sur une île déserte ne se mettrait pas des noix de coco dans le chandail pour le bien de son homéostasie psychologique. Qu'on se le dise, les implants sont au dragueur de bar ce que les leurres sont au chasseur de canard. Remarquez, le pendant masculin existe aussi. Nombreux sont les messieurs qui se font greffer des cheveux, rallonger l'organe ou insérer du silicone dans les muscles pour ressembler à un Monsieur Univers.

GRANDE, MINCE ET BLONDE :
LES ARCHÉTYPES DE BEAUTÉ

Bien que la beauté ait sa part d'explications biologiques, sa standardisation internationale provoque chez moi une crise d'urticaire, surtout lorsque vient le temps de faire parader les plus belles femmes de l'univers. Parenthèse : comment des gens qui n'ont découvert aucune trace de vie intelligente sur d'autres planètes peuvent-ils se permettre de nous présenter la plus belle femme de l'univers ? Ce qui me dérange dans ces concours de *super miss* n'est pas tant cette expansion injustifiable vers les autres galaxies que le fait que, la plupart du temps, les dix plus belles femmes du monde sont toujours faites sur le même modèle.

Disons-le franchement, l'Occident est obnubilé par la minceur. Est-ce une raison pour faire du nombre de kilos un critère de beauté universel ? Je viens d'une culture où l'on adore la femme ronde. Dans toute ma région, il y avait des défilés de mode mettant en vedette ces beautés locales, appelées au Sénégal des Diriyankés. Inutile de dire que leurs généreuses courbes, bien assumées, augmentaient le débit des glandes salivaires des hommes aux quatre coins de la savane. Comme si leur déhanchement n'ouvrait pas assez les valves hormonales mâles, elles se paraient, autour des hanches, de colliers appelés des *bines-bines* ou des *dial-dialis* qui font un effet bœuf sur la masculinité. Le seul fait d'entendre les perles s'entrechoquer sous le pagne suffisait à envoyer les gars dans une douce transe. Par ici, on qualifierait ces attirails de « démarreurs à distance ».

Si le moteur de votre mari a de la difficulté à démarrer au froid, chères lectrices des pays de neige, allez faire un tour au Sénégal.

Vous y trouverez ces accessoires traditionnellement commercialisés par des femmes de la caste des Laoubés, ces spécialistes de la danse des fesses, dont le très populaire ventilateur. Durant cette performance, les danseuses, enveloppées de préférence, font tourner leur postérieur comme les hélices d'un convecteur de plafond. L'érotisme communiqué était alors si intense que même les plus fervents musulmans, qui maudissaient cette pratique, priaient Allah de leur donner la force de résister aux assauts du diable.

Il y a donc des endroits sur la terre où les rondeurs font encore la beauté. Et la grande différence entre la belle Africaine enveloppée et l'irrésistible Occidentale du même calibre, par exemple, repose sur la confiance en soi. La Diriyanké sénégalaise est une belle habitée par cette sérénité qui amène un agneau à foncer sur le loup. Par contre, dans les pays occidentaux, à cause de cette survalorisation des échalotes, les femmes rondes ont une certaine propension à minimiser leur pouvoir de séduction. Lorsqu'un homme élégant leur fait un sourire, elles ont tendance à croire que c'est par gentillesse. Pourtant, la plupart du temps, il est attiré par les fragrances de séduction qui émanent de leurs courbes voluptueuses. Et justement, il a été démontré que cette volupté jouait un rôle majeur dans notre sexualité. Les rondeurs désirables de la femme sécrètent une hormone appelée la leptine, très importante dans la libido et, forcément, dans la fécondité. On parle évidemment ici de rondeurs et non d'obésité, puisque cette dernière provoque une résistance à la leptine et, par conséquent, interfère négativement dans la fécondité.

N'en déplaise aux scientifiques qui essayent de quantifier la beauté dans leurs laboratoires, elle est multiforme et culturelle.

Mon grand-père, dans sa grande sagesse, recommandait de donner à la belle une petite tape affectueuse sur une fesse. Il disait que si après une heure ça vibrait encore, c'est qu'elle était bonne à marier! À chacun ses critères de beauté et les vaches seront bien gardées. J'ai souvent répété cette certitude à une amie québécoise qui avait tendance à sous-évaluer son pouvoir sur les hommes parce qu'elle trouvait ses hanches un peu trop larges. Cette fille, qui avait une belle carrière, m'a dit un jour que les seules fois où elle se sentait vraiment femme, c'était lorsqu'elle allait en vacances dans le Sud et se faisait complimenter pour ses courbes. Elle fait partie de ces désespérées qui trouvent du réconfort sous les tropiques parce qu'en Occident, on a injustement tendance à marginaliser les femmes rondes.

Heureusement pour celles qui ne peuvent se payer le Sud, l'immigration leur a apporté la lumière et la chaleur tropicales. S'il y a une tâche dont s'acquittent avec plaisir certains immigrants venus du Sud, c'est celle de séduire et de sortir avec les femmes rondes, et même très enveloppées. Prenez le temps de flâner un soir dans certains bars fréquentés par la diaspora tropicale de Montréal et vous le constaterez. Si l'amour se mesurait en kilos, je vous assurerais que ces lieux débordent de purs et nobles sentiments.

JE TE MANGERAIS TOUTE RONDE

Le fait est que lorsqu'on a connu la précarité alimentaire, la première fois qu'on voit une femme ronde, le principal critère de beauté qui nous passe par le subconscient, ce sont les charmes de son frigo qui doit être plein! Le gras est un indicateur de l'état nutritionnel d'un animal. C'est pour cette raison que le pourcentage de lipide corporel, ou la masse graisseuse autour des reins, est couramment utilisé pour évaluer la santé des animaux sauvages en hiver lorsque les ressources se font rares. Cette association innée entre les réserves adipeuses et la disponibilité de nourriture, bien imprimée dans notre cerveau, influencerait nos choix de partenaires.

Des scientifiques britanniques ont publié dans le *British Journal of Psychology* une recherche qui, à mon sens, n'a rien de surprenant. Ils ont démontré que lorsque les hommes ont un creux, ils trouvent les femmes rondes beaucoup plus appétissantes sexuellement que les femmes minces. Les rondeurs symboliseraient l'abondance et la survie de la descendance. Voilà peut-être pourquoi dans les pays du G20, la femme mince est à la mode, et dans les pays du G-faim, la femme ronde est encore belle à croquer.

D'ailleurs, une croyance populaire veut que les hommes occidentaux, assujettis aux diktats de la mode, épousent des femmes minces alors qu'au fond, ils désireraient secrètement les rondes parce qu'ils ont aussi déjà connu la précarité alimentaire. Sinon, comment expliquer l'omniprésence de ces dames aux courbes généreuses dans les peintures de Renoir, Rubens, Matisse et autres ? La sculpture, la peinture et la photo ont célébré des siècles de vénération de la volupté en Occident. Certains artistes, comme Fernando Botero, ont même poussé la beauté à son maximum de kilos compatibles avec la santé cardiaque.

Le Québec n'était pas non plus épargné par cette mode. J'ai entendu un jour, à la radio, un historien raconter que les Filles du roi bien rondes étaient celles qui se mariaient les premières en débarquant en Nouvelle-France. Les hommes de la ville de Québec, qui avaient le premier choix, s'arrachaient les créatures bien en chair. Après l'arrêt dans la capitale, les moyennement rondes étaient épousées à Trois-Rivières et les plus maigres trouvaient enfin preneur au port de Montréal. Cette histoire est une mine d'or pour un humoriste. Elle est, par contre, vigoureusement contestée par d'autres spécialistes selon qui ces filles étaient déjà appariées à des colons avant de quitter la France. Quoi qu'il en soit, force est de constater que les charmantes *baquaisses* ont définitivement cédé la place aux silhouettes filiformes qui déambulent sans but dans les défilés de mode des grandes villes planétaires, ces filles qui auraient autrefois trouvé preneur dans un port des Grands Lacs.

VICTIME DE LA MODE ?

Qui a décidé un jour de corrompre le cerveau masculin au point de nous convaincre qu'une belle femme doit ressembler à un garçon nubile et élancé ? J'oserais dire que c'est, en premier lieu, la révolution industrielle, elle qui a chassé progressivement les famines des pays du Nord. Un deuxième responsable qu'on pointe souvent du doigt serait la communauté gaie, elle qui contrôle en grande partie l'industrie de la mode. À voir la silhouette des jeunes filles se pavanant dans les défilés de haute couture, on admet, au final, que cette affirmation n'est pas dénuée de sens. Plusieurs de ces *top-modèles* sont facilement remplaçables par de jeunes hommes longilignes. Comme on dirait en Afrique, avec un peu de maquillage, un jeune Massaï ferait un modèle féminin presque méconnaissable.

Ainsi, je rappellerais aux jeunes générations, adeptes de ces girafes, que la diversité des corps est ce qu'il y a de mieux. J'ajouterais que l'industrie de la mode ne voulait pas seulement des belles femmes : elle cherchait aussi des cintres interchangeables capables de se déhancher sur une plateforme. Est-ce moi ou ces beautés mal nourries ont l'air étourdies et égarées ? On les voit souvent fixer le néant d'un air hagard et puis, faire des demi-tours sans avertir, comme si elles venaient de se rendre compte qu'elles ont oublié leur clé sur le comptoir de la cuisine. Pardonnez la comparaison, mais la trajectoire imprévisible, incertaine et erratique de ces beautés rachitiques me rappelle celle d'une poule fraîchement étêtée. On peut sans doute le comprendre : après tout, il est difficile de s'orienter convenablement dans l'espace quand notre cerveau est probablement privé de sucre, son carburant principal.

Et puis, y a-t-il encore des hommes, dans ce monde, pour crier haut et fort que la mode des grandes échalotes ne les atteint pas du tout ? J'ai malheureusement l'impression que les chances de rencontrer un tel mâle s'amenuisent et que même si les poignées d'amour portent le nom du grand sentiment, quand les femmes payent, en Occident, c'est pour envoyer leur contenu lipidique dans les poubelles des cliniques de chirurgie plastique. Aujourd'hui, partout sur la planète, les jeunes hommes cherchent désespérément sur Internet des archétypes de beauté que la biologie ne peut leur offrir. Je parle ici de la grande blonde très mince, très libidineuse avec une forte poitrine. Paradoxal, n'est-ce pas ? Mais c'est un juste retour des choses... À force d'avoir des critères ridicules issus du délire collectif coulés dans le béton, on devient moins flexible et donc moins doué pour les rapprochements sincères et durables. On cherche un portrait-robot et ça, c'est désolant.

LES ARCHÉTYPES HÉRITÉS DE LA PORNO

Mon voisin de 40 ans passe beaucoup de temps sur les sites de rencontres qui semblent être son ultime recours pour dégoter un rendez-vous galant. Un jour, j'ai trouvé ce célibataire endurci assis dans son fauteuil, l'ordinateur portable sur les cuisses, prêt à lancer sa ligne dans le cyberespace. Le biologiste en moi a alors sursauté, je lui ai dit : « Patrick, si tu passes tes journées à draguer sur Internet en bedaine, l'ordinateur entre les jambes, tu vas ébouillanter tes spermatozoïdes et compromettre tes chances d'avoir une descendance. Si tes chers testicules sont situés dans une poche à l'extérieur du corps, ce n'est pas pour servir aux femmes de cible de choix où frapper en cas de mauvaise conduite. C'est avant tout pour que leur température soit en tout temps de deux degrés, inférieure à celle du corps. C'est pour cette raison que tes inséparables sont dans une poche qui pendouille au vent.

« Ce microclimat indispensable à la maturation des spermatozoïdes est qualifié d'hétérothermie régionale. Bref, pendant que tu baratines une jolie Suédoise avec tes trois mots d'anglais, ce portable qui est sur tes genoux, bien plus que la Suédoise elle-même, fait augmenter la température de ton entrejambe d'environ deux degrés Celsius, tuant tranquillement du coup des millions de spermatozoïdes. Le portable ou la portée, c'est à toi de choisir.

« Il n'y a pas que la chaleur de ton ordinateur à surveiller pour préserver la santé de ta semence. L'alcool, dont tu abuses, le jean moulant que tu enfiles et les bains trop chauds que tu prends tous les soirs sont également des ennemis de ta fertilité. Autre chose : cette icône de la pornographie que tu pourchasses – qui est blonde, mince, forte de poitrine et dotée d'une libido insatiable –, elle est une combinaison de caractères biologiquement impossibles à trouver chez la même personne. J'ai bien dit *biologiquement* puisque dans la libido féminine, le psychologique est aussi sinon plus important que le biologique. Mes compétences sur la psychologie sexuelle féminine étant bien limitées, je vais essayer de t'éclairer sur les aspects biologiques.

« Il faut savoir, Patrick, qu'à moins qu'elle souffre de nymphomanie, pour qu'une femme soit anormalement libidineuse, il faut qu'elle produise beaucoup de testostérone, comme un homme. Or, la testostérone est une molécule que le corps fabrique à partir du cholestérol, qui lui, fait partie du grand groupe des lipides. Cette molécule tant détestée est d'une importance primordiale dans notre sexualité : c'est un précurseur dans la synthèse des hormones stéroïdes, dont la testostérone, l'œstrogène et la progestérone. Fort de toutes ces informations, je ne peux m'empêcher de t'annoncer, Patrick, que pour que ta belle grande blonde tant convoitée soit trop libidineuse, un bon fessier et quelques bourrelets sont fortement encouragés par la nature.

« L'autre problème avec tes critères, Patrick, c'est qu'à forte dose chez la femme, la testostérone fait disparaître les seins, muer la voix, pousser les poils, accroître la masse musculaire et augmenterait même l'agressivité. Tu vois donc, mon ami, que l'objet de ton fantasme commence à ressembler à une lanceuse de marteau de l'équipe olympique russe des années 1980 nourrie aux stéroïdes anabolisants. Comme quoi, Patrick, si tu demandes à la biologie de te fournir une grande blonde mince, anormalement libidineuse et avec de gros seins, tu risques de te retrouver avec une femme qui a un surplus de poids, pas de seins ni de cheveux, qui parle comme un vieux routier et qui est velue comme un gorille. »

ÊTRE AUX PETITS OISEAUX

Tous ces maquillages, coiffures, colorations, mèches, poses d'ongles et autres apparats de la beauté humaine me font penser à la queue du paon déployée. Pour draguer, il faut parfois chanter la pomme et se parer de son plus beau plumage, sans oublier d'aiguiser griffes, bec et ongles pour éloigner les compétiteurs. Ainsi, c'est en faisant le coq de cette façon qu'on rencontre un jour une poulette, qu'on s'installe confortablement dans un nid douillet familial et qu'après quelques mois de roucoulement, comme il n'y a pas de prise de bec, les deux tourtereaux finissent par dorloter leurs poussins qui voleront de leurs propres ailes (si toutefois leur maman n'est pas trop mère poule)! Oui, il y a une ressemblance entre la drague et les parades nuptiales aviaires. Les seules différences résident dans le fait qu'après l'accouplement, les mâles oiseaux ont le droit de retrouver leurs couleurs ternes sans risquer de se faire plumer par les femelles!

Un peu comme les oiseaux se parent de leur plus beau plumage pendant la période de reproduction, les hommes en quête d'amour sont sensibles aux variations de couleurs. Le rouge, particulièrement, fait son effet. J'y pense : le rouge à lèvres, qui aspire littéralement le regard masculin, ne serait-il pas un héritage de ces couleurs omniprésentes chez les femelles ailées qui attirent leurs mâles pendant la saison des amours ? Si tel est le cas, disent les scientifiques, cela expliquerait un tas de trucs : comme le fait que le rouge s'est taillé une place de choix dans les parades nuptiales humaines (je pense à ces belles Indiennes qui l'arborent à leur mariage); comme le mythe de la pomme rouge qu'Ève a offerte à Adam (ce qui en ferait une couleur chaude depuis l'aube des temps); ou enfin comme son omniprésence à la fête de la Saint-Valentin. Mais, voyons ce que la science en pense.

Avec l'aide de collaborateurs de l'Université de Rochester, Adam Pazda et Andrew Elliot, des psychologues autrichiens et américains, ont découvert que les hommes trouvent les femmes habillées en rouge plus sexy. Pour arriver à cette conclusion, ils ont demandé à des volontaires hétérosexuels de noter des femmes selon leur attractivité sexuelle. Ils ont alors remarqué que les mêmes femmes étaient toujours éva-luées à la hausse si elles portaient des robes rouges. Alors, si vous voulez attirer des hommes, Mesdames, vous savez quelle couleur de vêtement enfiler.

En outre, cette couleur n'est pas uniquement associée à la disponibilité sexuelle chez notre espèce. En plus des oiseaux, comme nous l'avons vu, certaines de nos cousines simiennes à quatre pattes, comme les femelles du babouin et du macaque, signalent leur *réceptivité* par un rougissement de la vulve. À ce sujet, la bipédie a caché les organes génitaux de la femme entre les deux cuisses. Les vêtements sont venus enlever toute possibilité de contact visuel avec l'intimité féminine. Dans un tel contexte, un changement de couleur n'aurait donc eu aucun intérêt évolutif pour les hommes. Heureusement, il leur reste le rouge à lèvres.

LES PHÉROMONES : LES PHILTRES DE L'AMOUR

Quand on se sent moins séduisant, pourquoi ne pas emprun-ter le chemin de la tricherie ? En 1978, le professeur Kirk Smith, de l'Université de Birmingham, a demandé à 840 femmes de défiler dans une salle et de s'assoir sur une chaise. Plus de 80 % des femmes ont choisi celle qui avait été aspergée d'une phéromone masculine appelée l'androsténol. En effet, pas moins de 810 femmes ont posé leur popotin sur cette même chaise ou sur les deux chaises très voisines. En revanche, des 540 hommes qui ont défilé dans la salle après les femmes, aucun n'a voulu s'assoir sur la chaise pointée. On peut penser que les gars ont interprété cette place comme le territoire marqué par un compétiteur, comme le font des mammifères avec des jets d'urine.

Les phéromones sont des substances très volatiles porteuses d'informations et fabriquées par les glandes sudoripares au niveau des aisselles, du cuir chevelu et des organes génitaux. Elles sont ensuite détectées et décryptées par un autre individu dont elles modifient le comportement et l'humeur. En ce qui concerne l'espèce humaine, comme notre cerveau superpuissant a acquis un rôle presque de premier ordre dans la sexualité, plusieurs scientifiques restent sceptiques quant à notre aptitude à « sentir » ces messagers moléculaires de l'amour, du sexe et de la reproduction. Cause probable : la désactivation de notre système de détection. L'organe voméronasal, le vomer étant l'os qui sépare les deux narines, est vestigial chez l'*Homo sapiens*. Logé dans la cavité nasale, celui-ci permet aux animaux de détecter les phéromones émises dans l'environnement.

Chez beaucoup d'espèces autres que l'humain, cette olfaction secondaire joue un rôle indéniable dans les rapprochements sexuels. Ceux qui ont déjà vu un étalon devant une jument en chaleur ont sûrement observé les mâles retrousser leur lèvre supérieure jusqu'à ce qu'elle borde leurs narines. Ce comportement clownesque, qui amène les mâles à aspirer l'air en redressant la tête vers le haut, est appelé le flehmen ; il sert entre autres à détecter les indices de disponibilité sexuelle à partir des phéromones libérées par la femelle. Ainsi, les mâles réussissent non seulement à connaître la disponibilité sexuelle de la jument, mais ils sont en mesure d'évaluer assez précisément la distance qui les en sépare. Pareillement, chez certaines espèces d'insectes, des mâles parviennent à localiser une femelle à dix kilomètres de distance en utilisant leurs antennes comme récepteur des phéromones.

La première expérience qui a mis en évidence la probable existence de phéromones humaines a été rapportée en 1971 grâce aux travaux de la psychologue Martha McClintock, à l'Université de Chicago. Elle avait démontré que les étudiantes vivant en colocation synchronisaient très souvent leur cycle menstruel. Il est à noter que depuis cette découverte, aucune autre expérience n'a abouti à des résultats similaires. Par contre, des expérimentations mettant en scène des renifleurs de t-shirt imprégnés de phéromones abondent dans la littérature. Une étude rapporte, par exemple, que la testostérone sanguine augmente chez les hommes hétérosexuels lorsqu'ils respirent des t-shirts préalablement portés par des femmes en période d'ovulation, une augmentation qui est pourtant imperceptible lorsque les t-shirts avaient été portés par des femmes qui ne l'étaient pas. Les phéromones féminines imprégnant les t-shirts des femmes en *œstrus* étaient donc détectées par les hommes qui les associaient, évidemment, à la disponibilité sexuelle.

Du côté des hommes, on trouverait dans leur sueur, leur urine et leur sperme, une phéromone appelée androstadiénone (AND). Ce dérivé de la testostérone serait plus aisément détectable par les femmes hétérosexuelles et les hommes homosexuels. Le cerveau des hommes hétérosexuels serait toutefois indifférent à cette molécule, du moins selon les travaux de la neurologue Ivanka Savic-Berglund, de l'Institut Karolinska à Stockholm. Sécrétée surtout par les glandes sudoripares et les aisselles masculines, elle agirait sur l'humeur, l'état psychosociologique et le flux sanguin vers le cerveau. À chacun sa chacune... ou son chacun. Bien qu'elles soient plus sensibles à l'AND mâle, les femmes produiraient elles aussi une phéromone appelée l'estratétraénol (ESST), qui, dérivée des œstrogènes, aurait plus d'effet sur l'humeur et le cerveau des hommes hétérosexuels et celui des lesbiennes. À chacune son chacun... ou sa chacune.

La détection de ces messagers chimiques par notre système olfactif se produirait, selon certains chercheurs, seulement lorsqu'on est très proche, lorsqu'on entre dans la «bulle» de l'autre. Conséquence : la phéromone des hommes active l'hypo-thalamus féminin et provoque la libération de sérotonine (un médiateur de la bonne humeur) et d'endorphine (associé au bien-être et à l'ouverture à l'autre). C'est peut-être ça le pou-voir magique de l'amour.

Reste que l'existence de ce pouvoir est encore source de polé-mique scientifique. La grande majorité des chercheurs s'en-tendent pour dire que s'il y a véritablement des phéromones chez l'humain, leurs rôles dans la reproduction resteraient négligeables. Les élixirs que diffuse Mathieu en entrant dans la salle ont beau être doux pour ses sens, la couleur de ses yeux, le timbre de sa voix, la symétrie de son visage, sa gentil-lesse et son charme, qui est encore plus difficile à quantifier, resteront beaucoup plus importants comme facteurs de rapprochement avec Martine. Ce n'est donc pas parce que Mathieu a acheté sur Internet une molécule censée le rendre irrésistible qu'une femme lui sautera au cou.

DE LA COCHONNERIE

Chez le porc et son ancêtre le sanglier, l'androsténol et l'androsténone, deux phéromones produites par les mâles, ont un double effet : ils attirent les femelles et repoussent les autres mâles. Ces molécules qui favorisent l'immobilisation reproductive de la truie en chaleur sont aussi produites par les truffes. Pour disséminer ses spores, ce délicieux champignon a au cours de l'évolution piégé la truie en émettant des molécules proches des phéromones du cochon mâle. En déterrant les truffes, la truie transporte les spores et favorise leur dispersion. Pour mettre à profit cette stratégie, les chercheurs de truffes amènent des truies dans les boisés et les utilisent comme GPS pour localiser les précieux champignons. Une fois que le groin de l'animal a pointé un endroit, il ne reste plus qu'à creuser et ramasser le trésor gastronomique souterrain. Pendant que le cueilleur se réjouit, la truie se pose des questions existentielles. En effet, quand la pauvre bête détecte les molécules émises par la truffe, elle pense qu'à défaut de s'envoyer en l'air, un mâle adepte de sensations fortes avait décidé de s'envoyer sous terre. Manger un bon repas avec des tranches de truffe risque de vous rendre plus cochon que tous ces élixirs à base de phéromones vendus sur la Toile et dont l'efficacité est fortement douteuse.

COQS RECHERCHENT POULETTES

Mais pourquoi le vrombissement d'une voiture fait-il autant d'effet à certaines personnes ? Il y a des études à faire sur le sujet, car le phénomène est assez universel. Est-ce que, dans une parade nuptiale efficace, le mâle doit absolument déployer toute la puissance de son moteur et, ainsi, imposer sa supériorité sur les autres mâles et attirer ? Grosse BM, gros harem ?

Permettez-moi ici de retourner dans les cavernes néandertaliennes et de verser un brin dans la pseudo-psychologie évolutionniste. Après tout, ils sont nombreux les gars et les filles à saliver devant ces F1 futuristes qui, une fois par année, se pètent les soupapes sur les routes préhistoriques de Montréal.

Comme le dit souvent une de mes amies, les gars ont le paléolithique gravé dans les gènes, autrement comment expliquer leur passion pour le barbecue ? De fait, allumer un feu et l'entretenir fait bomber le torse de bien des hommes. À croire que, devant les briquettes incandescentes, ils éprouvent le même orgueil que leurs ancêtres qui faisaient jaillir une étincelle en cognant patiemment un morceau de silex contre de la pyrite de fer. Bref, allumer le barbecue pour faire cuire des côtelettes d'agneau ou cuisiner pour la petite famille le mammouth qu'on vient d'étrangler de ses mains : c'est *idem*.

Il faudra un jour que les scientifiques se penchent sérieusement sur ce phénomène. Mais en attendant des études crédibles, je vous fais part de cette vision qui est plus humoristique qu'évolutionniste. Je me demande si la puissance du ronronnement d'un moteur est aux femmes ce que le chant du coq est aux poulettes du voisinage. Je vous propose un peu de biologie pour mieux préciser ma pensée.

Si le coq chante très tôt le matin, c'est à cause de la température. Suivez-moi bien : le coq d'aujourd'hui est un lointain descendant d'un oiseau sauvage de l'Asie du Sud-Est ; dans ces régions tropicales, la température est plus basse à l'aube qu'en plein jour ; comme les sons voyagent plus efficacement quand il fait froid, le coq chante tôt le matin. Et il a (malheureusement) conservé ce comportement même dans un pays très froid comme le Canada.

Si le coq s'adonne à ces opérettes matinales, c'est pour signifier à tous les volatiles du voisinage qu'il est en super forme et, *a fortiori*, qu'il est disposé à accueillir d'autres poulettes dans son harem. Mais, il pousse également sa note pour montrer aux coqs du voisinage qui répondent à son cocorico qu'ils ne font pas le poids devant sa toute-puissance. Quand un ado, nouvellement propriétaire d'un scooter, fait des va-et-vient bruyants devant la maison de la jolie voisine, eh bien, il exprime lui aussi, à sa façon, cette génétique de coq. Du moins, jusqu'à ce qu'il se fasse rabattre le caquet par les « poulets ».

Ce même genre de routine intéressée pousserait certains jeunes hommes à faire crisser les pneus de leur rutilante Mustang devant des filles attablées à une terrasse urbaine. Les traces de pneus sont alors au bolide ce que l'urine est au mâle dominant dans les marquages territoriaux. Pourtant, pendant que l'étalon derrière le volant répand ostensiblement ses phéromones dans un nuage de fumée bleue, les « courtisées » sur la terrasse maudissent l'imbécile qui ne sait pas vivre.

Il se peut aussi que cette confiance masculine dans les capacités aphrodisiaques des bruits de moteur soit l'expression de notre côté gorille. Après tout, nous partageons avec ces grands singes plus de 98 % de notre génétique. Le gorille mâle se frappe la poitrine avec beaucoup de force et lance des vocalises si terrifiantes qu'il ne laisse aucun compétiteur sexuel indifférent. Pour continuer dans ma métaphore urbaine, l'été est la saison des gorilles, ceux qui se pensent aussi montés que leur voiture et qui ont la fâcheuse manie de faire tambouriner bruyamment leurs soupapes aux feux de signalisation.

Même si l'énorme succès de la F1 doit beaucoup à ce mélange de moteurs, de sexe et de traces de pneus, la puissance du moteur ne fait pas la vigueur du chauffeur, tout comme on peut être affublé d'une grosse quéquette et rouler en Corvette.

Chapitre 2

JE TE VEUX !
JE T'AIME !

À mon fils qui voulait savoir ce qu'est l'amour, j'ai répondu : « Mon grand-père avait l'habitude de dire que la case de celle qu'on aime n'est jamais loin. Pourtant, mon fils, il m'a fallu faire 7 000 kilomètres pour lui prouver qu'il s'était fourré le doigt dans l'œil. Anthony, tu es un enfant né d'un amour véritable. Je suis venu du bout du monde, sans savoir que la boussole de mon cœur pointait elle aussi vers le nord, en quête de magnétisme. J'ai trébuché bien souvent dans mes relations, mais quand j'ai rencontré le grand amour, jamais tomber ne m'avait donné autant le vertige. Mon amour à moi, il n'est pas aveugle. Il a les plus beaux yeux du monde. D'ailleurs, je suis convaincu que c'est le regard de ma belle Gaspésienne qui a fait fondre le cœur du rocher jusqu'à le percer. Pas besoin d'être géologue pour en vérifier la dureté, un cœur d'or saura toujours attendrir un cœur de pierre. Ce qu'il y a de merveilleux avec le cœur, c'est que même si on n'en a qu'un, on peut toujours le donner. Une fois qu'on est certain d'être au chaud dans le cœur de l'autre, le réduire en miettes devient presque suicidaire. Ta mère, c'est l'amour de ma vie. Voilà le genre d'histoire de cœur que les femmes aiment bien entendre, mais scientifiquement, c'est moins poétique que ça, l'amour. »

LE DÉSIR

Chez les Romains, le désir amoureux est incarné par Cupidon. Ce célèbre petit archer est le fils de Vénus, déesse de l'amour et de la beauté, et de Mars, dieu de la guerre. Selon cette figure mythologique, nous voici donc dans un sentiment à cheval entre l'affrontement et l'attachement. En d'autres mots, même si la tradition nous incite à faire l'amour et pas la guerre, à embrasser la maman de Cupidon plutôt que son papa, la passion amoureuse est, en elle-même, complexe et contradictoire.

Nombreuses sont les victimes du petit dieu ailé dont la flèche fait plus de bien lorsqu'elle entre que lorsqu'on la retire. Les scientifiques ne devraient jamais sous-estimer la sagesse des anciens. En latin, désir signifie « absence » et passion « souffrir ». C'est sans doute pour cette raison que l'expression « tomber en amour » évoque une douce douleur. D'ailleurs, cette expression n'est pas anodine : la chute peut faire vraiment mal. Plus le sentiment est puissant, plus la douleur est grande, surtout lorsque la relation se rompt sans avertir.

Le désir est une composante sociologique, culturelle et biologique. Sur le plan biochimique, il relève d'une activité dont le précurseur moléculaire principal, la dopamine, est un neurotransmetteur produit dans une partie du cerveau appelée l'aire tegmentale ventrale (ATV). En fait, au-delà de son rôle dans le magnétisme entre individus, la dopamine est le composé magique en partie responsable de tous nos désirs. Quand on déguste des spaghettis, c'est que la sécrétion de dopamine dans notre cerveau a attisé en partie le désir d'en manger. Elle a catalysé chez nous la motivation nécessaire pour planifier un repas de spaghettis avant d'agir sur notre cerveau-moteur, qui nous pousse à l'action, c'est-à-dire à préparer la sauce et les pâtes. Les ingrédients et la recette en main, on enfile notre tablier en songeant au plaisir que nous procurera une bonne bolognaise. La dopamine, combinée à la testostérone, crée non seulement le désir, mais elle nous fait en partie anticiper le plaisir qu'on éprouvera après la récompense. C'est la molécule clé de ce qu'on appelle le système de récompense, si important dans la recherche et la satisfaction de nos besoins vitaux. La vie n'est-elle pas aussi la satisfaction de nos désirs et besoins, dont ceux de manger, de boire, de dormir, de se soigner, de se reproduire, etc.?

La frontière entre l'attirance sexuelle et le désir de l'autre est bien poreuse. Comme pour le désir de manger, de gagner de l'argent ou de prendre le pouvoir, le désir de l'autre doit aussi à la chimie du cerveau et, en particulier, à la dopamine qui nous motive. Comme pour l'exemple du repas de spaghettis, le désir de l'autre nous pousse à rassembler les moyens pour le conquérir. Il faut oser lui téléphoner, l'inviter, lui envoyer des mots doux tout en anticipant le plaisir qu'éprouvera tout notre corps vautré sur sa peau nue. C'est sensiblement cette même séquence comportementale qui guide celui qui souhaite gagner plus d'argent et qui anticipe le plaisir de conduire une Porsche.

LA TENTATRICE ORIGINELLE

Chez les femmes, biologiquement, le désir doit beaucoup aux œstrogènes et à la testostérone. Rappelons ici qu'en moyenne, elles produisent entre 10 et 20 fois moins de testostérone que les hommes et que le taux de testostérone féminine est maximal aux alentours de l'ovulation. Par conséquent, le pic mensuel du désir chez la femme est souvent associé aux risques de tomber enceinte. En absence de contraception, cette épée de Damoclès peut constituer un frein psychologique aux pulsions sexuelles féminines. Mais au-delà de sa composante biologique, le désir féminin a toujours été contrôlé, critiqué et diabolisé par la phallocratie planétaire avec la complicité des religions. Dans certaines sociétés conservatrices chrétiennes, les femmes devaient jurer qu'elles ne faisaient pas l'amour pour le plaisir, mais pour faire des petits qui deviendraient à leur tour de fervents catholiques.

Le rôle d'obsédé que les gars acceptent de nos jours a long-temps été tenu par les femmes. La sociologue américaine Alyssa Goldstein a rapporté que de la Grèce antique jusqu'au début du XIXe siècle, les femmes étaient décrites comme des obsédées au sang chaud, incapables de retenue. Pendant 2 500 ans, elles étaient semblables à des tentatrices ayant hérité d'Ève une âme de traîtresse et une obsession pour le sexe, interprétée comme une incapacité à se retenir et, donc, un signe d'infério-rité. C'est aux hommes, qu'on disait à l'époque moins enclins à la luxure, que revenait la tâche de les contrôler de façon très serrée pour éviter que leur feu intérieur ne les consume.

Après cette longue « période de la salope », nous dit la socio-logue Goldstein, il y a eu les années de la prude où les femmes étaient décrites comme des êtres ennuyés par les plaisirs char-nels, sauf pour concevoir et aimer des enfants. Toutefois, une constance demeure au fil des siècles, selon l'auteure : lorsqu'on croyait les femmes plus libidineuses que les hommes, on devait les enfermer au foyer pour les éloigner de toute tentation. Sauf que, une fois les rôles inversés, la retenue féminine a alors été interprétée négativement : elle était devenue synonyme d'un manque de passion et de frigidité, donc, d'un défaut d'ambition incompatible avec le travail extérieur. En résumé, leur place était à la maison. À noter, cette lecture n'a jamais traversé les esprits masculins pendant cette grande partie de l'histoire où les gars se trouvaient moins libidineux que les femmes.

À cause d'une bizarre histoire métaphorique de fesses mettant en scène nos deux supposés premiers ancêtres, nous serions tous le fruit du péché originel. Ainsi, à la naissance, avant même de prendre notre première bouffée d'air, nous écopons du verdict de culpabilité pour cette malédiction. La fameuse tare originelle. Cette inexplicable injustice pousse parfois à tenir la pomme responsable des malheurs de l'humanité. Pour les sceptiques, il convient de rappeler que la pomme d'Adam nous a chassés du paradis terrestre et qu'elle a apporté la souffrance, le travail et les insupportables accouchements sans péridurale.

La pomme de discorde nous a menés à la guerre de Troie, mais, plus dommageable encore, la pomme de Newton nous a révélé la gravité. Je vous entends déjà me rappeler, à juste raison, qu'avant Newton, on tombait quand même. Oui, on tombait! Mais on ignorait totalement pourquoi on se cassait la gueule, et ce qu'on ne sait pas fait moins mal. C'est donc depuis que Newton nous a démontré que la Terre utilise une force pour nous étaler sur les roches que les chutes sont plus doulou-reuses. Heureusement, dans quelques traditions asiatiques et africaines, Ève aurait offert une banane à Adam et non une pomme.

Quand on y pense, il est plus logique que les feuilles de bana-niers aient servi de vêtements aux deux fautifs lorsqu'ils furent expulsés sans préavis du magnifique jardin. Après tout, elle couvre beaucoup plus large qu'une feuille de vigne ou de figuier; elle est donc beaucoup plus efficace pour habiller nos deux nudistes ancestraux. Mais essayer de plaider l'implication d'une banane dans cette histoire est une cause perdue, même si on sait aujourd'hui que l'humain vient d'Afrique, qui est plus connue pour ses bananiers que pour ses pommiers. Entre vous et moi, si Adam était un grand amateur de bananes, pas étonnant que le paradis terrestre soit devenu un enfer. Imaginez la pauvre Ève découvrant que le seul homme au monde préfère la forme allongée de la banane aux rondeurs de la pomme! En fait, ni vous ni moi ne pourrions en discuter en ce moment. La pauvre Ève serait restée seule à se morfondre et la face du monde en eût été changée.

Reste que si Adam avait eu une préférence pour la banane, Dieu aurait probablement détruit le jardin d'Éden, comme il a rasé Sodome et Gomorrhe simplement parce qu'il n'aimait pas ce qu'il y voyait. Cette tentative de purification n'a visiblement pas fonctionné car les relations homosexuelles sont présentes chez beaucoup d'espèces animales, allant des singes aux girafes en passant par les canards et les boucs. Cette diversité, le Créateur semble vraiment la tolérer car je n'ai jamais vu dans un livre sacré un passage où il ravage une savane parce que des girafes y entretiennent des liens homosexuels. Et pourtant, le désir homosexuel est bien naturel dans le règne animal.

En admettant que Noé ait véritablement sauvé du déluge un couple de chaque espèce animale de la terre, on peut aisément conclure que son arche était à voile et à vapeur? Et comme le dirait un ami amateur des films *The Matrix*, c'est sans doute pour cette raison que le grand architecte nous interdit de mettre à jour certains programmes installés par inadvertance dans nos profondeurs.

LA PUBERTÉ RÉVEILLE LE DÉSIR

Chez l'humain, on le sait, le désir sexuel jaillit seulement à la puberté. Avant cette période de fécondité, les jeunes garçons et les jeunes filles se fréquentent sans vraiment penser à la chose. À la puberté, c'est l'hypothalamus qui lance la valse des hormones en produisant de la gonadolibérine qui, elle, favorise la sécrétion de deux autres hormones hypophysaires : la folliculostimuline et la lutheostimuline (deux termes qui impressionneront votre adversaire au Scrabble !). Ces deux molécules agissent directement sur les testicules et les ovaires pour déclencher la puberté, donc la maturation des organes sexuels. À ce moment, tout déboule dans les jeunes corps : les taux sanguins de testostérone et d'œstrogènes bondissent, grimpent au cerveau et réveillent le désir sexuel des adolescents. Il faut alors les surveiller pour éviter qu'ils virent dingues. La gonadolibérine, appelée aussi lulibérine, responsable des premiers désirs sexuels, est désignée par bien des scientifiques comme la véritable hormone de l'amour. D'ailleurs, on a démontré qu'une petite dose de cette molécule injectée dans le cerveau d'une rate vierge suffit à déclencher chez elle des parades et des comportements copulatoires. Avertissement : gardez hors de la portée des ados !

Bien qu'elle soit sécrétée en plus grande quantité par les hommes, la testostérone est aussi en partie biologiquement responsable de la libido féminine. Elle est produite en plus grande quantité par les ovaires pendant les 48 heures précédant l'ovulation, ce qui explique en partie l'accroissement de la libido féminine à cette période. C'est aussi pour cette raison que certaines pilules contraceptives, en réduisant la production ovarienne de testostérone, peuvent aplanir du même coup la libido féminine. Comme on l'a vu précédemment, les gars produisent en moyenne entre 10 et 20 fois plus de testostérone que les femmes. Chez les adolescentes pubères, le taux de testostérone libre est plus élevé que celui de leur maman. Mais, selon la psychiatre américaine Julie Holland, cette augmentation ne se traduit pas nécessairement dans la libido. Pour cause, les taux d'œstrogènes tout aussi élevés contrebalancent la testostérone circulante et tempèrent ses effets sur le désir et la libido.

Chez les adolescents, c'est une autre histoire. Le taux de testostérone est jusqu'à 25 % plus élevé dans leur sang que dans celui de leur papa. Mais ici, rien n'empêche l'hormone mâle de baigner continuellement le cerveau et de plonger le jeune homme dans des pensées érotiques à longueur de journée, ce qui peut être très exigeant pour la copine. Alors, à toutes les adolescentes qui liront ce texte, je dirai ceci : n'hésitez pas à lui expliquer cette différence biologique et de lui conseiller de se prendre en main.

Certains scientifiques parlent d'un deuxième pic de testostérone chez la femme vers la quarantaine. Cette «libido de la dernière chance» arrive en même temps qu'un raccourcissement du cycle menstruel, qui peut passer de 28 à 20 ou 24 jours. Cette période d'excitation à un âge plus avancé s'accompagne d'un besoin de séduire. Tout se passe, dit la spécialiste Julie Holland, comme si le corps donnait une dernière chance à la femme avant la fermeture de la boutique de fécondité.

Il faut souligner que dans la prétendue différence entre la libido des hommes et celle des femmes, l'argument de la biologie ne justifie pas tout. Dans la quasi-totalité des sociétés, même dans les plus égalitaires, les hommes collectionnant les conquêtes sont perçus comme d'habiles Don Juan jalousés par leurs pairs. À l'opposé, une femme qui use un peu trop de ses charmes est susceptible de se faire traiter de tous les noms. Au-delà de la biologie, cette particularité sociale est aussi à considérer lorsqu'on parle de différence entre libido féminine et masculine.

L'OBSESSION POUR LA POITRINE FÉMININE

Grand-papa était un as dans les cours de préparation au mariage et, avec ses quatre épouses légales, on ne pouvait contester son expertise. Alors, quand il a vu que la gonado-libérine et la testostérone commençaient à posséder nos corps d'adolescents, il nous a enseigné plusieurs choses. Entre autres que lorsque vient le temps de se marier, devant l'embarras du choix, la plupart des gens font malheureusement le choix de l'embarras. Cependant, de toutes les théories de mon grand-père, ma préférée demeure la théorie des clés. Elle stipulait que l'homme et la femme sont semblables à un système de clés et de serrures et qu'il faut rencontrer la bonne clé pour la bonne serrure pour espérer une longévité conjugale. Un jour, alors qu'il répétait cette sempiternelle sagesse, mon frère l'a interrompu en disant : « Ça fait des années, grand-père, que tu nous casses les oreilles avec ta théorie des clés ! Si je comprends bien ce que tu veux nous dire, dans cette famille, il y avait un seul passe-partout, et c'est toi qui l'as eu ! »

Il avait beau jouer les grands griots, notre aïeul, ça n'a pas empêché sa plus jeune épouse de prendre la clé des champs avec un jeunot. Et mon frère de démontrer que la clairvoyance n'avait pas d'âge : « Je pense qu'à partir d'aujourd'hui, avait-il lancé à mon grand-père, tu comprendras un peu mieux pourquoi quand on achète un cadenas, il vient toujours avec deux clés. » Mais, étant donné que ce bouquin n'est pas autobiographique, je vais abandonner le lavage de linge sale familial et revenir à cette obsession masculine pour la poitrine féminine.

Je viens d'une culture où, traditionnellement, voir une fille seins nus ne déplaçait pas la télévision nationale. Si les Femen faisaient irruption sous un arbre à palabres de ma région natale, comme elles l'avaient fait à l'Assemblée nationale du Québec en avril 2015, elles impressionneraient plus par la blancheur de leur peau que par leurs lolos. Je me souviens d'avoir expliqué à ma sœur, qui est au Sénégal, le fameux *Nipplegate*. Je lui raconte donc cet événement hypermédiatisé, en 2004, où lors du spectacle de la mi-temps du Super Bowl, Janet Jackson avait fait perdre la boule à l'Amérique en faisant apparaître sur scène un bout de son mamelon. Savez-vous ce que ma sœur me répond à la fin de ma narration ? « Si les Américains en font tout un plat, c'est parce qu'ils n'ont pas de vrais problèmes, comme trouver à manger et à boire, et qu'ils s'inventent de faux scandales. »

Mais bien avant Janet Jackson, dans les années 1960, les danseuses des Ballets africains avaient failli créer une émeute du même genre à Montréal. Le Montréalais catholique pratiquant d'alors, qui ignorait que dans les Ballets africains de cette époque les filles dansaient seins nus et qu'on pouvait se rincer l'œil gratuitement, a eu tout un choc. Lorsque les Africaines sont arrivées sur la scène, la tension dans la foule a grimpé d'un cran. Quelques minutes plus tard, l'escouade de la moralité est débarquée et ce fut la débandade. Les Africaines ont été accusées de grossière indécence parce que leur attirail « revolait » un peu trop d'un bord puis de l'autre, comme on dit au Québec.

Aujourd'hui, au Canada, le sein est tellement sexualisé qu'il suffit qu'une femme dénude sa poitrine pour qu'on en parle pendant 24 heures sur les chaînes de nouvelles en continu. Cette obsession est telle que, pour une mère, donner le sein dans un lieu public relève quasiment de la pornographie. Dans un autobus qui nous conduisait de Montréal à Québec, alors qu'une Africaine, qui venait visiblement d'arriver au Canada, sortait tout naturellement son sein pour sustenter son bébé, j'ai été étonné de voir la mine complètement déboussolée de ses voisins. La tension est devenue telle dans l'autobus que si au lieu de son mamelon elle avait dégainé une Kalachnikov, c'en aurait été presque banal.

Avant d'envisager un voyage sur la planète Mars, je crois qu'il faudrait se pencher davantage sur cette passion maladive qu'entretiennent les hommes à propos des seins. Justement, le psychiatre Larry Young, professeur à l'Université d'Emory à

Atlanta, y a apporté un début de réponse presque troublant. Au cours d'une expérience, Young et ses collaborateurs ont réparti de jeunes hétérosexuels en deux groupes. Ils leur ont ensuite remis de l'argent virtuel qu'ils devaient faire fructifier dans un jeu d'investissement, le tout devant des écrans où défilaient des images. Le chercheur a alors remarqué que le seul fait de montrer un décolleté plongeant sur le moniteur pouvait perturber profondément le jugement des jeunes hommes, au point de les rendre complètement mabouls et irréfléchis avec le pognon. Si ce n'est pas un trouble congénital, dites-moi ce que c'est. Pire encore, la simple vue d'un soutien-gorge suffisait à les déstabiliser. Il est important pour les professeurs de rapporter cette expérience aux adolescentes qui prennent trop leur décolleté à la légère dans les classes. Elles doivent être conscientes que cette coquetterie peut sérieusement perturber la capacité de concentration de certains jeunes camarades de classe.

D'ailleurs, les yeux écarquillés et la bouche ouverte de certains députés à la vue des Femen auraient pu corroborer les conclusions de cette étude. Heureusement, quand ces nudistes engagées ont débarqué à l'Assemblée nationale du Québec, nos braves représentants ne votaient pas le budget. Sinon, on aurait pu, comme dans l'expérience de Young, assister en direct à une dilapidation des deniers publics.

Dans les conclusions de cette étude, le professeur Young avance entre autres que cette dépendance inexplicable aux seins est un caractère fixé chez l'homme pendant l'allaitement. Les gars les adoreraient pour les mêmes raisons que le bébé : il s'agirait d'une préférence induite en partie par l'ocytocine, qui est une hormone traditionnellement décrite par la biologie comme celle de l'attachement et de l'esprit de famille. Cette molécule serait donc en partie responsable de l'attirance masculine pour les seins, attirance qui génère une course pour des formats de plus en plus généreux, par ailleurs. Peut-être que ceux qui courent après ces grosses poitrines sont les mêmes qui prennent les formats jumbo dans les *fast food*.

Selon un grand blagueur qui diffuse ses pensées sur le Web, le rapport entre les filles et les implants change avec le temps. À 18 ans, elles veulent en avoir des plus gros, à 30 ans, elles ont les moyens de se les payer et à 70 ans, elles veulent s'en débarrasser. Heureusement, le silicone est de plus en plus remplacé par des poches d'eau salée, dont le recyclage serait plus facile à planifier. «Lorsque les détentrices de ces prothèses auront 80 ans, dit mon amie Marie-Christine, elles pourront recycler leurs sacs d'eau salée pectoraux en poches de soluté.» Voilà qui constituerait une économie substantielle pour le système de santé!

En revanche, si cet engouement masculin pour la poitrine provient de l'allaitement, pourquoi les hommes nourris à la bouteille présentent-ils la même sensibilité? Il paraît même que certaines bouteilles de bière des années 1970 ressemblaient à des mamelons pour mieux plaire aux gars qui tétaient leur contenu. En attendant la réplique du chercheur, je vous en livre une vision personnelle, car je suis certain que d'autres facteurs interviennent dans cette *déviance* masculine congénitale. Quand j'étais étudiant au baccalauréat en biologie, on nous montrait que la passion masculine pour les gros seins était strictement motivée par des raisons reproductives. Les fortes poitrines seraient interprétées par les gars comme des signes de fécondité, donc des réserves importantes de nourriture pour le bébé. Or, cette théorie ne semble pas non plus tenir la route à mon avis, car il n'y a pas de corrélation évidente entre la taille du sein et sa capacité à produire du lait après l'accouchement. En plus, c'est bien connu, un homme dont le cerveau est possédé par la testostérone discrimine très rarement celle qui est partante à cause du calibre de sa poitrine.

Les forts bustes naturels représentent des réserves secondaires de gras, qui cohabitent régulièrement avec des bourrelets d'amour, une culotte de cheval et d'autres dépôts internes et périphériques de tissus adipeux. On peut donc penser que les gars se passionnent pour les gros seins parce qu'ils les interprètent, dans leur cerveau reptilien, comme une certaine disponibilité de nourriture chez la propriétaire. D'ailleurs, l'attirance pour les femmes rondes et leur réserve de gras a souvent été observée dans les sociétés aux prises avec la précarité alimentaire. Le mystère reste entier.

LE COUP DE FOUDRE ET LA PASSION AMOUREUSE

Nous avons tous déjà senti le pouvoir subversif d'une personne sur nos émotions. Par sa voix, son visage, ses courbes, son odeur, cette tierce personne entre dans notre cerveau émotionnel et mute petit à petit en une obsession. Et ce chamboulement de notre homéostasie engendre inopinément la production et l'augmentation du taux sanguin de noradrénaline, une molécule très efficace pour trahir notre discrétion. En plus d'augmenter notre fréquence respiratoire et cardiaque, la noradrénaline est responsable du rougissement du visage. Du moins pour les Blancs, car la seule fois de ma vie où j'ai rougi, c'est parce que je saignais du front ! Quand, sitôt devant l'autre, notre cœur bat la chamade sans avertir et qu'à cause des vasodilatations périphériques, on a la bouille d'un homard cuit, eh bien, sublimer nos sentiments s'avère impossible. Même avec un couvercle devant le visage.

Puisque la libération des neurotransmetteurs impliqués dans nos sentiments se fait en simultané, il est difficile de déterminer quelle molécule est associée à quel phénomène physique de l'amour. On pense néanmoins que la montée du désir serait provoquée par une production de testostérone combinée à la sécrétion de dopamine. Non seulement la dopamine nous rend joyeux et alertes, mais elle nous fait anticiper le plaisir qu'on éprouvera après la récompense. Si la dopamine est surtout responsable du circuit de la récompense, l'adrénaline, qui entre aussi en ligne de compte, nous pousse à prendre des risques. Méchant cocktail!

Le coup de foudre, qui se produirait en moins d'une seconde, est un véritable tsunami pour le corps. Il provoque une série de réactions physiques incontrôlables : le rythme cardiaque passe parfois de 80 à 120 battements cardiaques à la minute, le visage rougit, la tonalité de la voix change et une étrange hyperactivité s'empare du «foudroyé». En plus de la dopamine, la lulibérine, une puissante molécule sécrétée par le cerveau, nous transforme alors en une sorte de zombie obsédé par une seule chose : la conquête de l'être qui a subjugué nos émotions. En plus de cette mutation, la lulibérine est reconnue comme étant aussi un coupe-faim. Comme si la nature avait prévu qu'au début, on pouvait presque vivre d'amour et d'eau fraîche, ce qui crédite la passion amoureuse d'un pouvoir amaigrissant qui surpasse certains régimes – en plus de faire diminuer notre facture d'épicerie! Après tout, comment peut-on dévorer quelqu'un du regard et avoir encore un petit creux pour autre chose! Malheureusement, à l'opposé, la peine d'amour mène les esseulés vers des aliments hautement caloriques qui rechargent rapidement nos bourrelets, qu'on devrait incidemment rebaptiser des bourrelets de peine d'amour.

Le coup de foudre est si fulgurant qu'il mobilise tous nos sens et, selon le professeur et auteur de la *Chimie de l'amour* Bernard Sablonnière, la sécrétion de dopamine, de noradrénaline et d'adrénaline qui précède la passion a des actions multiples sur tous nos organes sensoriels. Sur le plan visuel, la pupille dilatée, la symétrie du visage, le tour de taille et le sourire de l'autre sont autant de signes indicateurs. Sur le plan olfactif, les phéromones et les odeurs corporelles sont mises à contribution.

Pour le goût, le baiser et la langue sont utilisés pour donner de précieux renseignements, surtout aux femmes, sur les qualités intrinsèques du partenaire potentiel. Le toucher est également sollicité pour les caresses et la fusion des lèvres. Quant aux oreilles, elles sont aiguisées pour recevoir les compliments, les confidences, les mots doux, les poèmes et la musique des sérénades.

LE BAISER, UNE LANGUE UNIVERSELLE

Quand on y pense, le baiser est un comportement étrange. Pourquoi cherchons-nous à fusionner nos bouches, pour ne pas dire nos tubes digestifs, et à mordiller les lèvres de l'autre ? Si la grande majorité de l'humanité pratique cette parade nuptiale, c'est probablement parce qu'elle est importante dans les relations humaines. On pourrait presque parler d'un moyen de communication, pour ne pas dire une langue universelle. Pourtant, le bouche-à-bouche, tel que nous le pratiquons aujourd'hui, serait un usage relativement récent selon certains chercheurs. Avant les entreprises coloniales européennes du XVIIIe siècle, bien des peuples ne collaient pas leurs bouches de la sorte. Un article sur le sujet, publié par le *Courrier international* de février 2010, nous apprenait que « dans son livre de 1864, *Savage Africa*, l'explorateur britannique William Winwood Reade rapporte qu'une princesse africaine dont il était tombé amoureux crut qu'il essayait de la dévorer quand il s'approcha d'elle pour l'embrasser. Les Africains ne savent pas ce qu'est le baiser », conclut-il.

Depuis ce temps, les recoins de la planète non conquis par le bisou se font rares, et le *french kiss* a largement dépassé les frontières de la France. On le retrouve même dans la forêt congolaise, où nos cousins les bonobos mélangent leurs lèvres goulûment, ce qui prouve que la nature détient une partie de l'explication. Chez l'humain, la symbolique du baiser est telle qu'il marque, pour bien des couples, le début officiel de la relation. Le fameux *Vous pouvez maintenant embrasser la mariée* prononcé par le célébrant n'est-il pas, par ailleurs, le point culminant de cette cérémonie ?

Reste que ce geste en apparence anodin n'est pas sans danger. Avant d'embrasser, le rythme cardiaque et la fréquence respiratoire s'accélèrent, comme si le corps tout entier se préparait à un grand bouleversement. Quand on y pense, baiser égale danger. Car il y a un risque à introduire sa langue dans la bouche d'un inconnu. Mon grand-père disait que la langue a intérêt à ne pas se quereller avec les dents. Autrement dit, il faut prendre son temps pour le dire et pour le faire. À ce propos, les Français sont moins cavaliers que les Québécois : là où le Parisien dit : *S'il m'était possible d'explorer votre muqueuse buccale et de me délecter du nectar de vos glandes salivaires, j'en serais fort aise*, le Québécois, lui, dit : *Frenche-moé donc !*

Certains anthropologues pensent que le baiser est une relique du bouche-à-bouche alimentaire, je parle de cette technique usitée chez les mamans d'un autre temps qui consistait à recracher aux bambins en début de sevrage des aliments préalablement mastiqués, un peu comme ces oiseaux qui régurgitent directement dans le gosier de leurs poussins. Remarquez, chez certaines espèces d'oiseaux, les femelles réclament parfois de juteuses becquées aux mâles qui veulent leur retrousser les plumes ou demandent des livraisons alimentaires à leur partenaire pendant qu'elles couvent les œufs.

Quand j'étais jeune, longtemps avant que le Pablum en pots atterrisse en Afrique, voir des mamans recourir à cette pratique était courant. Le geste peut paraître disgracieux ou primitif aujourd'hui, mais le fait pour un bébé d'avoir la bouche de sa maman sur la sienne est une source notable de réconfort.

Sur le plan biochimique, embrasser une personne qu'on aime entraîne une réduction du cortisol et, donc, des réactions reliées au stress. Le bisou apaise tout comme le serrage dans les bras. Il augmente aussi la sécrétion de l'ocytocine, appelée parfois l'hormone de la famille et de l'attachement. Le bisou lie. Et quand on y pense, le premier baiser qu'offre un nouveau-né est dans la plupart des cas pour le sein de sa mère. Et encore ici, maman comme bébé bénéficient des bienfaits de la tétée. Chez celle qui allaite, le simple fait de penser à son bébé accentue la sécrétion d'ocytocine dans son corps et conduit presque instantanément à la lactation. Selon les disciples de Freud, la tétée est une sorte de nouvelle fusion entre le poupon et sa maman après la douloureuse séparation consécutive à la section du cordon ombilical.

La tétée fait donc autant de bien aux petits que le baiser aux grands. D'ailleurs, pour lutter contre les dérives de l'intégrisme religieux, je propose de faire appel à la science du baiser; ce puissant geste de rapprochement reste une des façons les plus efficaces de pacifier les hommes possédés par la testostérone. Je discutais un jour avec un ami québécois au sujet des jeunes qui vont se faire massacrer en Syrie quand son fils de 17 ans, qui tenait son amoureuse dans ses bras, nous a assuré qu'il aimait trop la vie pour se laisser embrigader dans des histoires semblables. Voilà une réponse typique d'un jeune qui a découvert l'impact du baiser sur l'envie de célébrer l'existence.

En somme, le baiser, cette manifestation universelle de l'amour, consolide le sentiment d'attachement. Il diminue les hormones de stress et favorise la sécrétion de médiateurs de la bonne humeur et de la soif de vivre. Bref, il attendrit les hommes. Devant cette vérité physiologique, je suis convaincu qu'une des façons de pacifier les jeunes hommes est de les laisser embrasser les filles dans des limites socialement bien balisées.

Puisque le mélange des lèvres fait aussi l'objet d'investigations dans les laboratoires, il existe une science du baiser, qui porte le joli nom de philématologie. On y soutient entre autres que le premier baiser serait plus mémorable que la première partie de jambes en l'air. Les filles, en particulier, se souviendraient plus facilement des détails entourant leur premier baiser que de leur première relation avec pénétration, nous apprend Sheril Kirshenbaum, une figure de proue dans le domaine et auteure de *La science du baiser*. Il est par conséquent important d'enseigner aux « bécoteux » de demain à ne jamais prendre leur première pelle à la légère : chacun doit se faire un devoir de la rouler avec délicatesse, sensibilité et assurance afin de laisser des traces indélébiles dans la mémoire de l'autre.

La science nous apprend également que vous avez beau embrasser comme un dieu, il se peut que la belle refuse de poursuivre la relation parce que votre génétique ne lui convient pas. En effet, les femmes seraient capables de mesurer la qualité intrinsèque du partenaire à partir d'informations moléculaires contenues dans la salive. En fait, la langue féminine serait une sorte de sonde destinée à évaluer la génétique de son partenaire. Par le baiser, elle parviendrait à déterminer la distance génétique qui la sépare du futur père de ses enfants.

La salive contient également de la testostérone, ce qui a fait dire à l'anthropologue Ellen Fisher, de l'Université Rutgers de l'État du New Jersey, que les hommes qui embrassent à grande bouche essayeraient insidieusement de transférer le maximum de testostérone à la fille qui en produit beaucoup moins – c'est par ailleurs une sorte d'incitation non planifiée à une partie de jambes en l'air. Alors, quand vous sentirez poindre le baiser, pensez à tout ce que je viens de vous dire : le succès est garanti ! Et partagez bien vos microbes : c'est après tout un moyen efficace – et fort agréable – de renforcer vos systèmes immunitaires.

FOU, DROGUÉ ET AVEUGLE

Être aveuglé par l'autre, s'émouvoir devant son corps, sa voix, son sourire, tout cela nous plonge dans un état de vulnérabilité presque abrutissant, dans une fragilité émotionnelle qui parfois nous entraîne en dehors de la réalité spatiale et temporelle. Cette perte de contact partielle amène des chimistes à penser que l'amour porte peut-être en lui les germes de la folie – d'où l'expression « être fou de quelqu'un » pour parler d'une passion amoureuse. Celle-ci, justement, peut nous obliger, envers et contre nous-mêmes, à faire des choses qui outrepassent notre lucidité. Quand on est amoureux, tout ce qui nous rappelle l'élu de notre cœur est mémorisé dans les moindres détails : son sourire, les fossettes sur ses joues, les courbes de son corps et même l'odeur de son cou lorsqu'on l'a embrassé la première fois. On ne peut plus le soustraire de notre pensée. C'en est presque insensé.

Cette envie continue de fusionner avec la personne aimée, nous la devons en grande partie à la dopamine. Produite par le cerveau, cette molécule aiguise et fait culminer notre désir ; on devient alors prêt à tout pour retrouver l'objet de notre convoitise, ultime récompense déjà anticipée par nos sens. Il arrive même que l'autre, qui a chamboulé notre chimie cérébrale, enjambe le stade du désir pour atteindre celui de l'obsession. Alors, une douleur innommable risque de poindre, surtout si l'assouvissement n'est pas envisageable, par l'absence de l'autre par exemple. Un désir jamais récompensé détruit un cœur esseulé. Et quand le cerveau obsédé du délaissé n'a d'emprise que sur les ficelles des souvenirs perdus – odeurs magiques, lèvres mordillées, mélange des corps –, il ressemble à un toxicomane qui entrevoit son dernier *fix*, sans un rond dans ses poches : il se détraque.

Quand je vivais à Rimouski, mon colocataire, qui venait de se faire larguer, est devenu du jour au lendemain complètement déconnecté de la réalité. Il ne dormait plus, n'allait plus à ses cours, ne nettoyait plus sa chambre, ne se lavait plus. Puis, une nuit, déguisé en espion, il est monté dans sa voiture et a roulé durant trois heures jusqu'à Québec où son ex-copine habitait. Il était convaincu qu'elle avait rencontré un autre homme. Il s'était transformé en ces individus qu'on pensait dans ma jeunesse africaine possédés par des esprits, ceux qu'on amenait pieds et mains liés au sorcier afin de les exorciser des mauvais esprits qui contrôlaient leur âme. Pourtant, la démence amoureuse doit beaucoup plus à un déséquilibre neurophysiologique qu'à des esprits maléfiques.

Ma curiosité pour le cerveau humain m'amène aujourd'hui à penser que tous les esprits du monde vivent dans les neurotransmetteurs et qu'un simple déséquilibre peut leur laisser toute la place dans notre tête. Selon leur niveau de régulation, ces neurotransmetteurs qui relaient les messages électriques sont capables de provoquer un état et son contraire et de faire pousser une douloureuse pathologie là où jadis germait le plaisir. Pour cause, le cerveau des émotions est un labyrinthe où les circuits du plaisir, du manque et de la souffrance sont intimement liés. Ainsi, l'excès de dopamine peut mener à un désir beaucoup trop puissant qui, lorsqu'il n'est pas couronné de récompense, peut dévier rapidement vers des comportements qui relèvent de la dépendance et de la maladie mentale. Un puissant désir, constant et jamais récompensé, peut transformer une personne jadis normale en ces animaux de laboratoire qu'on voit taper de façon obsessive sur des sonnettes dans le but de retrouver la récompense à laquelle l'expérimentateur les avait habitués.

L'obsession unidirectionnelle pour une personne qui caractérise le sentiment amoureux laisse croire aux scientifiques que la sagesse populaire avait raison : l'amour nous aveugle. Il est impératif que l'on tienne compte de cette idéalisation de l'autre, surtout quand vient le temps d'émettre un commentaire sur la nouvelle flamme de notre meilleur ami. Car il est impossible de lui faire gober que sa déesse n'est pas parfaite. Insister pour qu'il parvienne à ce constat sera interprété comme un geste de mauvaise foi. Les amoureux passionnés vivent une forme de cécité qualifiée par certains spécialistes d'effet «lunettes roses». Il s'agit, comme on s'en doute, d'un aveuglement temporaire les empêchant même à l'occasion de remarquer les autres très belles femmes ou beaux hommes aux alentours. Baigné par les endorphines et la dopamine, le cerveau voile le regard périphérique des amoureux et les rend incapables de voir un canon de beauté qui agiterait ses bras pour entrer dans leur champ visuel. Des spécialistes qualifient poétiquement ce phénomène de «répulsion atten-tionnelle».

La frontière moléculaire entre le paradis et l'enfer étant bien poreuse dans un cerveau humain, les scientifiques croient qu'une dépendance à une passion amoureuse peut à bien des égards se comparer à une dépendance, à une drogue, où chaque minute de nirvana est couplée à son heure d'enfer à venir. De la même façon, le sevrage d'une telle passion entraîne souvent une humeur en montagnes russes et une perte totale de contrôle sur la vie du cœur brisé. Dr. Jekyll et Mr. Hyde cohabitent alors dans le cerveau. Partout et toujours, la peine d'amour a poussé des humains à se donner la mort. Certaines histoires vécues sont des pastiches de Roméo et Juliette et de Tristan et Yseult. La grande majorité d'entre nous a un exemple en mémoire. Ne dit-on pas d'ailleurs de la passion qu'elle peut être dévorante?

La maladie d'amour existe donc véritablement. Et il arrive qu'elle tienne la main d'un esseulé jusque vers la mort. Pourtant, il y a une vie après l'amour. D'ailleurs, le corps humain réussit admirablement bien à effacer la douleur amoureuse de nos neurones. Pour chacun de nous, la nature a prévu la possibilité de nous faire vivre plus d'une passion amoureuse dans notre vie. Autrement, elle n'aurait pas mis en place ce système de rapprochements et cette panoplie de jeux de séduction décrits plus haut. Après tout, la passion amoureuse est une sorte de distraction, très énergivore certes, dont l'objectif premier est de créer des liens sociaux, affectifs, mais aussi d'encourager la rencontre entre un spermatozoïde et un ovule. Une fois la relation consommée, il faut retourner tranquillement à la normale. C'est pour cela que la sagesse populaire enseigne que si l'amour nous rend aveugles, le mariage nous aide à retrouver la vue.

Pour l'anthropologue d'origine canadienne Helen Fisher, qui s'est penchée sur les imageries cérébrales des gens vivant une rupture amoureuse, celle-ci doit être considérée comme une véritable dépendance et traitée comme telle. Plus encore, elle recommande de mettre en place la même stratégie de sevrage que celle utilisée pour la dépendance à une drogue. De la même façon qu'un toxicomane doit éviter son *dealer* et son réseau d'accros, celui qui vit une peine sentimentale doit s'éloigner des occasions qui pourraient raviver les circuits de l'amour romantique envers l'ex. La première chose à faire est de renoncer aux images, aux lettres et autres souvenirs qui nous rappellent cette histoire d'amour. Jusqu'à 40 % des personnes quittées font une dépression, disent les scientifiques.

Pour beaucoup, la rupture amoureuse ressemble à une longue et pénible traversée du désert. Or, si l'amour perdu peut nous condamner à l'errance et nous désespérer, le temps, souvent, nous oriente et nous guérit. Le grand sentiment est une drogue moins puissante que l'alcool. On peut se relever d'un chagrin d'amour alors que si on est alcoolique, on le demeure pour la vie et il faut renoncer définitivement à embrasser la bouteille. Pour ceux qui ne veulent pas se soigner de la maladie d'amour, il est aussi démontré que le meilleur remède à une peine d'amour est un autre coup de foudre. C'est par lui qu'on remet à niveau les neurotransmetteurs, un peu comme on télécharge des nouvelles mises à jour sur son portable. « Désirez-vous redémarrer votre cœur ? Cliquez OUI. » Mieux vaut prendre son temps.

MON CŒUR BAT POUR TOI

Parce que le grand sentiment lui fait battre la chamade depuis des temps immémoriaux, le cœur a toujours été considéré comme le siège incontestable de l'amour. Cependant, biologiquement parlant, l'amour c'est plus que des pulsations cardiaques. Le cœur est une simple pompe et il a plus à voir avec le sexe qu'avec l'amour. À preuve, quand un promeneur tombe nez à nez avec un ours dans une forêt, son cœur bat très fort, pourtant ça ne lui donne pas l'idée d'aller bécoter l'ursidé près d'un rosier. Un autre exemple assez patent : le Viagra, une pharmacopée impliquant plutôt le sexe que l'amour, peut avoir des effets dévastateurs sur le cœur. Enfin, s'il était l'ultime symbole de l'amour, est-ce que les prétendantes se bousculeraient pour conquérir le cœur étonnamment sonore de ce monsieur qui a subi deux pontages, qui souffre d'arythmie et à qui on a greffé un défibrillateur sous-cutané ?

Le cœur n'est pas le grand manitou des manifestations physiologiques de notre corps, comme on l'a longtemps prétendu. Sa réputation dans ce domaine a été surfaite durant des siècles. D'ailleurs, s'il était un coureur olympique, il serait réduit au rang de bon second, un simple relayeur qui brandit, un peu pompeusement, la flamme allumée par le cerveau. Au Moyen Âge, par exemple, on a cru à tort que le muscle cardiaque était le siège de l'intelligence, une leçon que plusieurs ont apprise « par cœur ».

Le siège de l'amour se trouve en première ligne dans le cerveau, plus spécifiquement dans le système limbique, qui se pose comme le centre de contrôle de nos émotions. Puisque le système limbique est une structure trop laide pour qu'on la représente sur des cartes de la Saint-Valentin, les romantiques ont imposé à l'humanité le cœur comme symbole de l'amour. Pourtant, chimiquement, l'amour est un messager qui parle au muscle cardiaque par l'entremise des élixirs cérébraux du bonheur. De ce fait, quand vous débordez de créativité et d'énergie, quand vous voulez toujours être avec l'autre, quand vous lui envoyez des *textos* dix fois par jour, vous n'êtes pas sous la gouverne de votre cœur, mais bien sous le contrôle de molécules cérébrales qui s'appellent la phényléthylamine, la dopamine, la vasopressine, la sérotonine, l'ocytocine et un cocktail d'autres drogues neuromusculaires aux noms tout aussi poétiques. La phényléthylamine (PEA), par exemple, entraînerait une euphorie comparable aux sensations engendrées par des sports extrêmes tels que le *bungee* ou le parachutisme. Voilà qui explique peut-être pourquoi on *tombe* amoureux ! Comme quoi il arrive que la science confirme ce que la culture savait depuis belle lurette. J'ai aussi lu qu'on a trouvé de la phényléthylamine dans le chocolat. Alors, à mes lectrices célibataires, si vous cherchez une épaule consolatrice sur laquelle pleurer à la Saint-Valentin, appelez Laura Secord.

D'ailleurs, pourquoi n'avons-nous pas choisi de *monter* en amour au lieu de tomber, comme des perdants ? C'est une question pertinente car s'il est vrai, comme le disait mon grand-père, que la mesure de la chute c'est la hauteur, accepter de tomber amoureux, c'est choisir de se fracasser potentiellement la tête. Le pessimisme de cette expression est peut-être en lien étroit avec le fait que les mariages d'aujourd'hui sont souvent les chroniques d'un divorce à venir. Il y a d'ailleurs un dicton populaire qui reconnaît trois étapes universelles dans le mariage à l'occidentale : la première année, l'homme parle et la femme écoute ; la deuxième année, la femme parle et l'homme écoute ; mais quand arrive la troisième année, tous les deux crient et ce sont les voisins qui écoutent !

À cause de son caractère extraverti, qui l'amène à se manifester à la moindre occasion, et parce que le grand sentiment lui fait battre la chamade, le cœur a toujours été considéré comme le siège incontestable de l'amour. Si, comme biologiste, j'ai longtemps pensé que le cœur n'était qu'une simple pompe qui avait plus à voir avec le sexe qu'avec l'amour, je le crois aujourd'hui beaucoup plus impliqué dans le processus. Il est en effet scientifiquement prouvé qu'une peine d'amour intense peut dans certains cas rompre littéralement un cœur. C'est un phénomène qui porte plusieurs dénominations, dont celle de la cardiomyopathie de tako-tsubo, ou le syndrome du cœur brisé. Très rare, décrite pour la première fois en 1990, elle présente les mêmes symptômes qu'un infarctus. Parfois causée par une immense peine d'amour ou un deuil intense, elle se traduit par des douleurs comparables à des coups de poignard dans le ventricule gauche qui prend alors la forme d'un tako-tsubo, un pot utilisé au Japon dans la pêche traditionnelle à la pieuvre. Cette déchirure du cœur, heureusement réversible, serait engendrée par une décharge anormalement élevée d'adrénaline. Même s'il n'est pas le lieu d'origine de l'amour, le cœur a peut-être ses raisons que la raison scientifique ne connaît pas. Ainsi, la sagesse populaire avait raison de penser que les cœurs peuvent se briser comme un vase.

Dans la course à l'autonomie, le cœur est un champion, du moins en apparence. Il est en effet l'un des rares organes du corps pouvant fonctionner sans connexion avec l'encéphale. Quand j'étais étudiant en licence, on faisait souvent des expériences de perfusion de cœurs de grenouilles. On les irriguait de liquide physiologique et ils pouvaient battre pendant des heures à l'extérieur du corps – on disait alors que les grenouilles étaient à côté de leurs pompes ! Cette autonomie cardiaque s'explique par la présence dans ce muscle du tissu nodal, un tissu spécifique dont le fameux *pacemaker* est le chef d'orchestre. L'activité électrique intrinsèque des cellules de ce tissu est le véritable secret de l'automatisme cardiaque et des ambitions démesurées du cœur. Mais le cerveau, qui est espiègle, ne lui a jamais accordé l'indépendance totale. C'est pour cela que j'écrivais précédemment que le cœur est en apparence indépendant. En explorant la physiologie cardiaque, on réalise rapidement que le cœur est doublement bridé par le cerveau : il y a, d'un côté, le système parasympathique, qui ralentit le cœur, et, de l'autre, le système sympathique, qui accélère le cœur en cas de nécessité. De ce fait, même si le cœur s'emballe pour quelqu'un, le dernier mot revient immanquablement au cerveau qui finit par le ramener à la raison et lui rappeler que lorsqu'il s'agit de sentiments, on tombe véritablement amoureux avec la tête.

SI LA NATURE POUVAIT PARLER D'AMOUR

Si l'amour poétique est une histoire de cœur, la passion demeure en grande partie un piège inventé par nos gènes pour assurer leur pérennité. Si la nature parlait, elle dirait aux humains : « Cette partie passionnelle du grand sentiment que vous appelez l'amour dure quatre à cinq ans environ. C'est le temps nécessaire pour amener un bébé à une certaine autonomie. Drôle de hasard, non ? Après ce temps, une fois que votre organisme se sera habitué aux douces drogues venues du système limbique, le sentiment d'allégresse s'atténuera, laissant place à une période de sevrage parfois pénible. Et dès lors que l'un des partenaires décroche des effets paradisiaques de la passion, c'est la fin annoncée de la relation. Le chagrin vient alors creuser son nid dans le cœur de l'autre, qui se sent trahi. Mais, ce que vous ignorez, c'est qu'en mettant en place ce système de rapprochement qui vous fait tomber amoureux, vos gènes, ces monstrueux égoïstes, ont voulu aussi vous piéger pendant quelques années afin de poursuivre leur existence dans une nouvelle génération. »

C'est là, dans le noyau des spermatozoïdes et des ovules, que se cache une partie de l'ultime quête de l'espèce humaine, cette vie éternelle que l'on vit par procuration. Nous avons en effet cherché cette éternité dans les livres, la médecine, les religions et même dans la magie noire. Mais dame Nature, plus espiègle, avait déjà répondu à cette préoccupation en disant ne pas pouvoir nous faire vivre continuellement. Pour reprendre les propos d'un sage biologiste : « Investir de temps en temps dans une voiture neuve était beaucoup plus judicieux pour la nature que de retaper le même vieux tacot pour l'éternité. » Autrement dit, le corps que nous chérissons tant n'est que l'emballage le plus efficace que la nature a inventé pour loger les porteurs de notre immortalité biologique que sont les spermatozoïdes et les ovules qui véhiculent notre ADN.

Si vous ne croyez pas être en partie des marionnettes de vos gènes, prenez l'exemple de la mante religieuse. Chez certaines espèces, les mâles se font bouffer la tête pour se reproduire. Si, malgré cette tragique possibilité, ils continuent d'aller voir la femelle, c'est qu'il y a une force quasi démoniaque qui les pousse à se mettre la tête sous la guillotine. Les impitoyables femelles décapitent donc les mâles pendant l'accouplement, mais cette amputation n'aurait peut-être aucun effet sur les performances du mâle, selon Richard Dawkins. Il ajoute même qu'étant donné que le cerveau est souvent un centre d'inhibition, il se peut que la femelle améliore les performances du mâle en le décapitant.

Voilà une façon bien originale de s'offrir du bon sexe et un bon repas ! De toute façon, même chez les humains qui sont bien apparentés aux mantes religieuses, il est de notoriété publique que lorsque la testostérone prend le contrôle du corps de certains mâles, le cerveau quitte parfois la tête et migre entre les jambes. Et d'ailleurs, je tiens à préciser à toutes les amatrices de sensations fortes qui lisent ce passage qu'il y a bien d'autres façons de mettre du piquant dans leurs ébats que de tenter la position de la mante religieuse. À moins que ces mâles étêtés ne copient la technique des veuves noires pour éviter de se faire dévorer par les femelles...

Chez la veuve noire, ce cannibalisme sexuel existe aussi. Sauf qu'ici, les mâles ont appris avec le temps à berner les femelles. Quand l'horloge biologique sonne, le mâle part à la chasse. Sitôt la proie capturée, il l'enroule dans un solide cocon en soie, s'approche de la femelle convoitée et lui tend le présent. Et c'est pendant que la femelle est tout occupée à déballer son présent que le rusé coquin en profite pour s'accoupler avec elle. Sitôt fait, il déguerpit d'un coup, en un seul morceau. Ici, je tiens à préciser que les risques sont moins élevés pour le monsieur qui veut essayer la technique de la veuve noire. Il faut seulement s'assurer qu'il y a consentement mutuel.

ATTACHEMENT, AMOUR ROMANTIQUE ET OCYTOCINE

Étonnamment, désir et amour ne logent pas à la même adresse cérébrale. Le désir est orienté vers le sexe et il peut s'évanouir dans la nature une fois la récompense obtenue. On couche et tu disparais, dirait le magicien séducteur. L'amour, quant à lui, nous pousse vers une relation durable qui doit beaucoup à une autre molécule cérébrale appelée l'ocytocine. Il peut donc s'épanouir et subsister longtemps après le départ des molécules de la passion. De toute façon, il est bien connu que certains séducteurs réussissent à passer leur vie à désirer et à collectionner des aventures sexuelles sans jamais vivre un attachement véritable et éprouver des sentiments amoureux pour une personne en particulier. C'est là une preuve manifeste de la franche séparation entre désir et amour. Il faut aussi noter que d'autres couples restent unis et amoureux jusqu'à ce que la mort les sépare alors que le désir est plus platonique que sexuel. Ce qui trace une autre frontière entre la passion et l'attachement.

L'ocytocine est probablement l'hormone le plus impliquée dans l'attachement romantique, et ses actions persistent après le départ des hormones de la passion. Si cette hormone est apparue très tôt dans notre longue évolution, c'est d'abord pour favoriser la survie des enfants. L'ocytocine, qui signifie en langue grecque « travail rapide », contrôle en partie les contractions de l'utérus pendant l'accouchement. À la fin de la grossesse, les œstrogènes placentaires font augmenter les récepteurs cérébraux de l'ocytocine. Les récepteurs sont en fait les sites sur lesquels les molécules d'ocytocine circulant dans le sang vont se fixer pour changer notre physiologie et nos comportements. Par exemple, l'augmentation du taux d'ocytocine sanguin améliore les performances olfactives et aiguise les sensibilités tactiles et auditives de la nouvelle maman. Autrement dit, grâce à ce médiateur moléculaire, la mère entend mieux les pleurs de bébé, a envie de le consoler et est capable de mémoriser plus facilement ses odeurs et, malheureusement aussi, celles de ses couches. Comme je l'écrivais précédemment, le bulbe olfactif qui reçoit les informations provenant du nez est directement connecté au cerveau des émotions. C'est pourquoi nous associons des odeurs à des souvenirs qui ont laissé des traces dans nos neurones. C'est le secret de la fameuse madeleine de Marcel Proust.

Dans la chimie des sentiments, c'est l'ocytocine qui tient en grande partie les amoureux réunis quand commence à se dissiper la passion du début. C'est donc ce qu'on pourrait appeler l'hormone du «jusqu'à ce que la mort vous sépare!». C'est comme si le bébé maintenait une liaison sans fil avec sa mère par cette molécule. D'ailleurs, des expériences ont montré qu'il suffit d'injecter dans le cerveau d'une rate vierge de l'ocytocine pour voir son comportement maternel se manifester de façon ostensible.

Le désir, la passion amoureuse et l'attachement doivent beaucoup à l'odorat car l'être humain, comme la grande majorité des mammifères, tire beaucoup d'informations de son nez qui est directement relié au cerveau. C'est pour cette raison que les odeurs jouent un rôle de premier plan dans nos parades amoureuses et qu'il est très rare de se jeter dans les bras de quelqu'un qu'on ne peut sentir. Ce n'est pas un hasard non plus si l'odeur est le premier moyen de communication entre le bébé et sa maman. Pendant ses premières semaines de vie, le poupon, dont la vue est imparfaite, est en mesure de reconnaître l'odeur de sa mère. L'inverse est tout aussi vrai selon les scientifiques : une tradition recommande d'ailleurs à la nouvelle maman qui compte s'éloigner quelque temps de son nouveau-né de déposer un linge imprégné de sa sueur dans la couchette pour le sécuriser.

Le bébé qui vient de terminer son bail utérin et dont le cerveau est câblé seulement à 10 % a besoin de l'attachement et des soins parentaux pour survivre. Pour ce faire, il exerce sur ses géniteurs un irrésistible magnétisme qui leur donne l'envie irrépressible de le chouchouter. Capricieux et exigeant, le bébé serait aussi une sorte d'amoureux passionnel pour sa maman. Le toucher, les bisous, la palpitation et les serrements de cœur en entendant ses cris sont autant de signes rappelant une véritable liaison amoureuse.

Ce lien mère-enfant post-partum est indispensable à la survie de sa descendance. Pour la même raison, le coup de foudre, point départ de nos comportements sexuels, tient un rôle de premier ordre dans l'évolution et la survie de notre espèce. Ainsi, l'arrivée d'un bébé ou d'une nouvelle flamme provoquerait à certains égards des réactions comparables sur le plan cérébral. En somme, pour la survie de l'espèce, attirer un partenaire est aussi important que s'occuper du résultat de l'union, pour lui donner toutes les chances de se reproduire à son tour.

VALENTINE ET OCYTOCINE

Comme nous sommes de bonnes bêtes sociales, nous apprenons à aimer, à embrasser, à respecter et à vieillir ensemble. Cependant, la part de culture et d'éducation dans nos comportements côtoie aussi celle des gènes qui nous composent et de leurs dérivés moléculaires, bien actifs dans la chimie de nos émotions. Par exemple, après la passion amoureuse du début, l'ocytocine déploie sa magie pour souder le couple. Il suffit alors de caresser l'autre pour qui on a eu un coup de foudre ; l'autre qu'on a jadis désiré intensément ; l'autre avec qui on a vécu des années de passion ; l'autre qui vieillit avec nous, pour qu'au bout de quelques minutes, les taux d'ocytocine grimpent dans notre sang et dans le sien. La sagesse populaire avait raison de parler de la « chimie » entre deux personnes.

Beaucoup d'expériences scientifiques démontrent qu'en plus d'être un antistress efficace, l'ocytocine entretient la confiance envers l'autre, favorise l'empathie mutuelle et inhibe les sensations de peur et d'anxiété, lesquelles empêchent souvent les imprudences, dont celle de succomber à d'autres charmes. C'est en partie pour cette raison, croient certains spécialistes, que chez les couples de personnes âgées, les maladies liées au stress sont beaucoup plus dommageables quand l'un des partenaires décède. Des chercheurs ont aussi prouvé que lorsqu'on fait respirer de l'ocytocine à des personnes, leur confiance envers les autres ainsi que leur volonté de partager est accrue. Certains quartiers chauds seraient beaucoup plus invitants s'il y avait plus de *dealers* d'ocytocine.

Alors, à la Saint-Valentin, en plus de célébrer les amoureux passionnés, les amoureux romantiques et ceux qui vivent leur couple dans la tendresse, l'ocytocine et les souvenirs d'enfants qui ont grandi beaucoup trop vite, on devrait penser aussi aux personnes âgées ! Pensons à ceux et celles qui doivent apprendre à chercher en vain la main de la personne à qui ils avaient donné la leur il y a des lunes. Pensons aussi à toutes ces personnes devenues tristement des étrangers pour leur partenaire de vie, comme à leur premier rendez-vous galant, parce que les traces de leur longue complicité conjugale ont été malheureusement effacées de leurs neurones par la maladie d'Alzheimer.

L'EFFET COOLIDGE

Quand cette tendre moitié que vous aimiez en entier se soustrait à votre regard pour s'additionner à un tiers dans le but de se multiplier, la division n'est pas loin. Autrement dit, lorsque la passion s'étire dans le cortège des jours et que la routine, monotone, se replace exactement là où elle doit être, il arrive que la dulcinée s'affadisse et que le chevalier, un peu plus blasé, redescende lourdement de son cheval blanc. La lune de miel en est alors à ses derniers quartiers. À ce propos, l'expression « lune de miel » tirerait ses origines de la vieille Babylone, il y a quatre millénaires. La coutume voulait que pendant le premier mois de mariage, le père de la jeune épouse offre à son gendre une boisson alcoolisée à base de miel qu'on appelait le *mead*. Et on lui en servait à volonté. Ce premier mois de mariage, bien arrosé, était appelé le « mois de miel ». Comme le calendrier à cette époque était lunaire, on parlait de la lune de miel. Une sagesse arabe un peu pessimiste enseigne d'ailleurs qu'après la lune de miel suit parfois la lune de fiel. Dans le discernement du biologiste, cette usure de la relation avec le temps renvoie à un phénomène appelé l'effet Coolidge.

Cette particularité troublante de la sexualité mâle du grand groupe des mammifères a été décrite pour la première fois en 1974 par l'écologiste Richard Brown. Ce chercheur a observé que lorsqu'une rate en chaleur est présente dans une cage, le mâle s'accouplera avec elle de façon répétitive, mais la fréquence des coïts tendra à diminuer avec le temps même si la réceptivité de la femelle est encore au vert. L'engouement du mâle pour la chose finit même par s'estomper malgré les avances de la rate. Par contre, si on lui présente une nouvelle femelle en chaleur, le mâle retrouve très vite sa libido et redevient un fornicateur de première classe. C'est cet élan d'ardeur, lorsque la nouveauté apparaît, que l'on appelle l'effet Coolidge.

Pour la petite histoire, cette dénomination vient d'une blague créditée à Calvin Coolidge, président américain de 1923 à 1929. Pendant qu'elle visitait une ferme avec son homme d'État, madame Coolidge, qui venait de se faire expliquer par un aviculteur qu'un coq était capable de s'accoupler une douzaine de fois par jour, répliqua : « Il est important de répéter cette information à monsieur Coolidge. » Sans perdre une seconde, le président, imperturbable, aurait à son tour demandé au fermier si cette performance du coq était réalisée avec la même poule. Le fermier aurait alors répondu que c'était avec des poulettes différentes. « Il est important de répéter ce détail à madame Coolidge », lança à son tour le président au fermier.

De cette drôle de chicane du couple présidentiel est né ce concept que les biologistes surnomment « l'effet Coolidge » ou « l'effet coq ». Il traduit, comme on s'en doute, la diminution de libido induite par la monogamie, que l'on retrouve chez tous les mâles du grand groupe des mammifères. Il est aussi présent, dans une moindre mesure, chez certaines femelles. Et il serait à la base de bien des problèmes de couple sur la planète.

Certains psychologues évolutionnistes pensent même que cet effet Coolidge expliquerait l'obsession de certains hommes pour les changements fréquents de petites tenues chez la gent féminine. Toutes ces innovations nocturnes et autres affriolantes lingeries fines seraient en partie des stratégies féminines pour laisser croire à Monsieur qu'il couche chaque soir avec une fille différente et lui donner l'impression de disposer d'un harem à la maison. Autrement dit, chères lectrices qui êtes en couple, quand Monsieur vous offre comme cadeau d'anniversaire de mariage une tenue de nuit un peu osée, dites-vous qu'il travaille activement à combattre le maléfique coq en lui. Nombreux sont en effet les ménages qui dérivent parce que Monsieur s'est retrouvé dans les bras d'une autre après une soirée bien arrosée, une escapade parfois incompréhensible pour le voisin qui trouve la conjointe beaucoup plus belle et séduisante que la maîtresse. Mais, pendant que la cocufiée se demande ce que l'autre femme a de plus qu'elle, le coq tapi au fond du mari rigole et la génétique marque un point sur la morale et la culture.

Les mammifères mâles dispersent leurs gènes dans le but de maximiser leurs chances d'avoir une descendance. De ce fait, avec un seul éjaculat pouvant contenir jusqu'à 500 millions de spermatozoïdes, les hommes peuvent théoriquement féconder suffisamment d'ovules pour fonder non pas une famille, mais un pays. C'est peut-être à cause de cette génétique libertine que la polygamie fait rêver même les jeunes Occidentaux élevés dans la monogamie chrétienne. Pourtant, étant issu d'une culture de polygamie, je vous assure qu'avoir plusieurs épouses est souvent plus problématique que romantique. Les première et deuxième femmes d'un ménage polygame sont presque toujours des ennemies, la première reprochant à la seconde de l'avoir privée des joies de la monogamie. Si la troisième épouse arrive dans le décor, la première la prend aussitôt sous son aile pour faire payer sa dette à la deuxième. Dans ce climat de tension, la maisonnée risque de se transformer en champ de bataille. Et cette guerre des couchettes sera inévitablement suivie par la revanche des berceaux, car les enfants deviennent aussi des soldats au service de leur maman ! «Vous me faites la guerre, et moi, je fais l'amour !», telle est la devise de bien des polygames que j'ai connus.

J'essaye depuis longtemps de convaincre les hommes québécois que la polygamie rime souvent avec chaos familial, mais ils me répondent majoritairement qu'ils sont prêts à essayer – probablement parce qu'ils ne savent pas encore faire la différence entre un simple procès de divorce et un recours collectif ! Peut-être aussi, tout simplement, que disposer d'un harem est un fantasme mâle universel, une gourmandise qui s'expliquerait par la séparation entre le sexe et l'amour dans le cerveau masculin. Pourtant, la polygamie est passible de quelques années de prison au Canada comme dans plusieurs autres pays occidentaux. Même si je crois que c'est une bonne chose, je pense aussi qu'avec quatre belles-mères à ses trousses, les juges devraient considérer que le mari purge déjà une peine à perpétuité dans la collectivité.

En plus d'être le site d'action de la testostérone qui favorise le désir et la recherche de plaisir sexuel, l'hypothalamus est aussi le centre de contrôle de la température et de la faim. Certains croient les hommes programmés pour chercher insatiablement de nouvelles conquêtes, un peu comme l'hypothalamus nous impose au moins trois repas par jour. Si cette vision de la libido masculine est bien tirée par les cheveux, avouons quand même qu'elle justifierait au moins les nombreuses allusions culinaires à la sexualité dans le vocabulaire : appétit sexuel, belle à croquer, etc. Pensons aussi au verbe « consommer » qui s'applique aussi bien au repas qu'à une relation.

Si les femmes ne mettaient pas un frein à cette libido débordante, la plupart des jeunes hommes hétérosexuels se comporteraient sans doute comme ces homosexuels extravertis qui expriment leur testostérone de façon ostensible. Or, étonnamment, cette manifestation brute de la libido masculine, qui est le fait d'une minorité de gais, a toujours dérangé une masse d'hétérosexuels. Il m'arrive même de penser, à l'occasion, que l'homophobie est une forme de jalousie exprimée envers les homosexuels par des hétérosexuels soumis à de sévères retenues comportementales par les femmes. Si les femmes levaient ces limites, tout le monde aurait-il les jambes en l'air ?

ENTRE POLYGAMIE ET MONOGAMIE À RÉPÉTITION

Si j'affirmais dans ce bouquin que tous les hommes sont potentiellement polygames, des armées de gars se distancieraient de mon affirmation pour faire bonne figure. Mais, que voulez-vous, même pour la règle la plus générale, il faudra toujours des exceptions pour confirmer le tout. J'ai connu une de ces exceptions pendant mes études doctorales au Québec. Disons pour brouiller les pistes qu'il s'appelait Mathieu. En 1995, Mathieu, qui fréquentait la même faculté que moi, ne jurait que par sa Virginie, qui était une belle grande brune. Et il nous rebattait continuellement les oreilles avec leur attachement mutuel, leur amour éternel, dont la flamme dure depuis dix ans. Il jurait que depuis ce coup de foudre, jamais il n'avait pensé, même en rêve, de coucher avec une autre femme tellement il était comblé. Ce bataclan verbal, qui semblait sortir de la bouche sans passer par le cœur, avait fini par taper sur les nerfs de ceux qui combattaient chaque jour leur bonobo intérieur, ces galants qui avaient compris que loin d'être un phénomène passif, la fidélité nécessite un travail permanent – autant pour l'homme que pour la femme –, ces hommes qui travaillaient ardemment à réduire au silence le murmure de leurs gènes.

Un soir que nous étions réunis entre amis, et bien imbibés, voilà notre gentleman qui nous déblatère, encore, la chance qu'il a d'avoir rencontré son autre moitié à l'âge de 15 ans. C'est là que le justicier en moi s'est manifesté : « Mathieu, ne trouves-tu pas un peu bizarre que sur le milliard de beautés féminines que compte la planète, la femme de ta vie soit ton amie d'enfance, celle qui a grandi en face de ta maison, dans un minuscule village du Bas-Saint-Laurent au Québec ? Ou tu es la personne la plus chanceuse sur terre, ou alors tu es trop paresseux pour explorer un peu plus loin. Moi, je suis originaire du Sénégal et j'ai rencontré celle que je pense enfin être la bonne en Gaspésie au Canada. »

Évidemment, Mathieu n'avait pas apprécié ma sagesse matrimoniale, mais le temps, incorruptible, a fait son travail. Des années plus tard, alors que je me promenais dans un marché public, j'ai aperçu Mathieu avec une autre femme. Il me l'a présentée comme étant sa nouvelle conjointe et m'a annoncé que lui et Virginie (l'ex-femme de sa vie et mère de ses deux enfants) étaient divorcés. Mathieu venait d'intégrer, depuis quelques mois, la diaspora des monogames à répétition. C'est une forme de polygamie lorsqu'on cumule le nombre de partenaires dans le temps.

Ce serment que l'on chante aux mariés, et qui leur dit de rester fidèles jusqu'à ce que la mort les sépare, est plus facile à respecter quand on est un grand albatros. Chez cet oiseau de mer, raconte le spécialiste français Stephen Dobson du Centre national de la recherche scientifique à Montpellier, cité par la revue *Québec Science*, les deux partenaires sont exclusifs toute leur vie, qui peut durer une soixantaine d'années. Le taux de divorce, calculé pendant 20 ans sur un total de 420 couples, est de 0,3 %. On comprend pourquoi la profession d'avocat n'est pas très populaire chez ces oiseaux. Quel est le secret de cette fidélité, demandez-vous ? Eh bien, elle reposerait sur la distance. En effet, chaque partenaire mène sa vie en solitaire et retrouve sa moitié au même endroit pendant la saison de reproduction. Les liens entretenus sont si puissants que lorsqu'un des partenaires meurt, l'autre a parfois besoin de plusieurs années de deuil avant de se remettre en couple. « Je vous souhaite d'avoir la force et la volonté d'être comme un couple de grands albatros », voilà ce que devraient dire les célébrants pendant un mariage.

Si la fidélité était génétique chez l'humain, la polygamie ne serait pas aussi largement représentée dans le monde animal, y compris chez notre espèce. Chez les mammifères, seulement 3 % des espèces seraient monogames strictes. Je rappelle ici qu'on ne naît pas fidèle, on le devient par amour et par respect pour l'autre qui partage notre existence. On y arrive en combattant notre bonobo intérieur, Messieurs. Personne ne sera surpris d'apprendre que ce sont des hommes désireux de retrouver le vicieux singe bonobo en eux qui ont ouvert la possibilité d'avoir plusieurs épouses. Sauf que chez les bonobos, les femelles aussi peuvent avoir plusieurs partenaires. Ce qui est bien plus égalitaire.

Chapitre 3

LE PLAISIR CHARNEL ET L'ORGASME

Une fois qu'il a mangé salé, l'humain ne peut plus manger sans sel. Notre amour pour les croustilles et les histoires salées – ou croustillantes – en est la preuve. Pour inciter l'humain à se reproduire, la nature a eu la bonne idée d'associer le plaisir à la procréation. Bref, elle a suspendu une carotte au bout du bâton. Toutefois, pendant des milliers d'années, l'homme a vécu avec la certitude que la femme se régalait de la carotte. Mais, la plupart du temps, elle ne faisait qu'endurer. Heureusement, aujourd'hui, l'homme moderne sait qu'au bout de la patience, il y a le septième ciel. Il existe de nombreuses expressions associées au plaisir sexuel. Les plus romantiques aiment imaginer qu'ils font l'amour alors que les sportifs votent pour la partie de jambes en l'air en espérant foncer au but rapidement. Les gourmands trempent leur biscuit, les artistes leur pinceau. Heureusement, il est loin le temps du devoir conjugal. Et s'il est vrai que l'amour est un échange de bons procédés, mieux vaut longuement échanger avant de procéder.

TOUT LE MONDE À POIL

J'ai toujours arboré des tresses sur ma tête. Et pour les entretenir, la technique est simple, il suffit de frotter longtemps ma chevelure avec une serviette humide. Inévitablement, mes cheveux crépus s'y incrustent. La première fois que ma conjointe Caroline a examiné ces serviettes en solitaire, elle était convaincue qu'elles étaient criblées de poils pubiens. Il y en avait tellement qu'elle s'est demandé si les Africains muaient du pubis. Il a fallu que je lui explique. S'il est vrai que les cheveux et les poils jouent un rôle primordial dans l'identité phénotypique d'un individu, je dois reconnaître que je suis atypique. La première fois que j'ai serré la main de la grand-mère de ma conjointe en Gaspésie, elle m'a dévisagé de haut en bas avant de lancer : « Tu as une permanente pareille comme moi! » J'ai répondu : « Je ne vous souhaite pas d'avoir les mêmes cheveux que moi, Madame. La dernière fois que j'ai dormi dans un camping, un porc-épic mâle a essayé de s'accoupler avec ma tête. »

Outre les cheveux, je n'ai pas de poils sur le corps, ce qui est presque une chance parce qu'aujourd'hui, la pilosité masculine a moins la cote. Pourtant, nos ancêtres lointains étaient tellement poilus qu'ils risquaient de rester collés comme les deux pièces d'un velcro pendant leurs ébats amoureux. Et quand ils se séparaient, il arrivait que la femme parte avec des touffes de poils de l'homme et vice versa ! D'ailleurs, à cette époque, on ne refaisait pas l'amour, on allait reprendre du poil de la bête ! J'imagine que c'est de ces ancêtres que nous tenons l'expression « se mettre à poil » !

Mais revenons plus sérieusement à cette toison que nous avons progressivement perdue depuis notre départ des savanes africaines, il y a cent mille ans, un phénomène sur lequel plusieurs hypothèses ont été émises. La première théorie relie la disparition de notre pilosité à la lutte contre la chaleur. L'humain est un animal à sang chaud qui doit conserver sa température interne aux alentours de 37 degrés Celsius. Pour cette raison vitale, il est confronté à deux problèmes : quand il fait froid, il doit garder sa chaleur, qui a tendance à quitter son corps pour se disperser dans l'environnement ; quand il fait chaud, il doit évacuer l'excès de chaleur pour ne pas surchauffer. Contre le froid, nous disposons ainsi de multiples armes de résistance, dont la chair de poule, le frissonnement et la thermogénèse postprandiale (la production de chaleur qui nous fait transpirer après un repas). Pour lutter contre la chaleur, nous avons la transpiration, qui est un investissement du surplus de chaleur corporelle pour évaporer des molécules d'eau.

Comme il faisait chaud dans les savanes africaines qui ont vu naître nos premiers ancêtres, la diminution de la pilosité nous aurait permis d'avoir un meilleur contrôle sur notre température interne en nous facilitant la transpiration. Ainsi, pendant que la plupart des primates poilus étaient à l'ombre, on pouvait continuer à défier les rayons du soleil. Certains chercheurs réfutent cette théorie en avançant que les humains étaient déjà capables de produire de la chaleur, de se construire des refuges et de se fabriquer des vêtements chauds pour faciliter le contrôle de leur température interne.

Mais il existe une autre théorie plus surprenante pour expliquer la diminution de la pilosité humaine. Elle est le fait de Mark Pagel et Walter Bodmer, deux scientifiques britanniques qui relient la disparition progressive de notre pilosité à cette lutte que nous livrons constamment aux ectoparasites, c'est-à-dire ceux qui vivent sur nos corps. Nombreuses sont en effet les bestioles indésirables qui profitent du poil animal pour y déposer leurs œufs. Devenir un singe de plus en plus nu, pour reprendre la formule du biologiste Desmond John Morris, nous aurait permis d'abriter moins de parasites et nous aurait aussi facilité le repérage de ces microsquatteurs, selon Pagel et Bodmer. Pour éviter cette ennuyante cohabitation, nos ancêtres auraient progressivement fait de la faible pilosité un critère de sélection pour les accouplements.

Autrement dit, il arrivait qu'une femme refuse de s'engager en prétextant que, plus qu'un homme, celui qui la convoitait ressemblait davantage à un écosystème ! C'est ainsi que nos ancêtres lointains qui avaient moins de surface de nidification parasitaire, favorisés par la nature, nous auraient légué ce dédain du poil qui s'est propagé chez notre espèce jusqu'en cette très glorieuse ère des crèmes épilatoires et de l'électrolyse. Voilà peut-être aussi pourquoi à notre époque, avec Internet, il est plus facile de voir du monde tout nu, mais plus rare de voir quelqu'un à poil ! Un gars a beau avoir aujourd'hui les cheveux courts et soignés, si le reste de son corps est encore dans sa période *hippie*, ses chances de succès sont abrégées.

Une autre preuve avancée par les tenants de cette vision pour étayer leur affirmation est qu'aujourd'hui encore, les habitants des régions tropicales, où plusieurs maladies parasitaires sévissent, sont généralement moins poilus que les gens du Nord. Ils arguent aussi que la barbe et les cheveux auraient été épargnés par l'évolution pour des raisons esthétiques, à des fins de séduction. De la même façon, le pubis et les aisselles ont gardé leurs poils, car ils contribueraient à la dissémination des odeurs sexuelles et des mystérieuses phéromones.

À MORT LES MORPIONS

L'épilation est devenue si répandue que le nombre de personnes infectées par les morpions a diminué de façon draconienne. Si la tendance se maintient, disent les scientifiques, les morpions sont menacés de disparition. La sonnette d'alarme est venue de gynécologues anglais et de l'entomologiste britannique Ian F. Burgess, qui n'hésitent pas à parler de catastrophe écologique imminente. Aujourd'hui, 0,2 % des gens abritent des morpions comparativement à 2 % au début des années 2000. Soulignons qu'environ 80 % des étudiants américains n'ont pratiquement plus de poils pubiens. Bref, ces coupes à blanc, reconnues pour malmener la biodiversité, conduisent les morpions au bord du précipice. En dehors de l'épilation, l'hygiène n'a pas aidé les morpions. Je me souviens qu'à l'angle du boulevard Rosemont et de la rue Christophe-Colomb, à Montréal, on trouvait un club échangiste au premier étage et un exterminateur au rez-de-chaussée. Pour un morpion, c'est ce qu'on appelle une descente aux enfers. Ainsi, devant l'avenir incertain de ces bestioles « attachantes », le directeur du Muséum d'histoire naturelle de Rotterdam, un dénommé Kees Moeliker, a pris l'initiative de collecter un maximum d'espèces de morpions avant qu'elles disparaissent. Il faut protéger les espèces des milieux humides, dit-on. Êtes-vous pour ou contre la sauvegarde des morpions ?

UNE P'TITE VITE

Si vous êtes obsédé par votre performance au lit, voici quelques informations qui pourraient vous aider à comprendre que les ébats marathoniens qu'on voit dans les films de fesses sont à des kilomètres du chronomètre de la nature. En dehors de l'espèce humaine, l'accouplement est pour la grande majorité des animaux sauvages une période de forte vulnérabilité. Quand deux zèbres ôtent leur pyjama pour forniquer dans la savane, ils sont à la merci des prédateurs qui rôdent, incapables qu'ils sont de se défendre ou de fuir. Par conséquent, pour amoindrir ce risque, la nature a réduit considérablement la durée de la phase pénétrative des relations sexuelles – y compris chez l'espèce humaine. Les préliminaires mis à part, les gars atteignent en moyenne l'orgasme après deux minutes trente secondes. Par contre, chez les femmes, l'orgasme nécessite en moyenne treize minutes et il reste beaucoup plus mystérieux et inaccessible.

L'orgasme, cette manifestation soudaine, se termine toujours par une sorte de décharge, et je ne parle pas ici de l'éjaculation masculine. J'évoque plutôt cette apothéose de plaisir qu'on attribue à des décharges synchrones de neurones qui plongent les deux partenaires dans ce que certains spécialistes qualifient d'orage électrique orgasmique. Il est généralement admis que la femme soit plus bruyante que l'homme pendant qu'elle fait l'amour. Ces chants rythmés et organiques laissent croire que les sensations de l'homme ne sont qu'une fraction de celles de sa partenaire. Mais qu'est-ce qui motive véritablement ces cris, soupirs et gémissements et qui laissent parfois croire à la voisine que l'ascenseur vers le septième ciel est de l'autre côté du mur ? Ces vocalises haletantes sont-elles toutes sincères ? Signifient-elles que la femme prend plus son pied que son homme ?

La psychologue britannique Gayle Brewer a essayé de cerner le mystère avec un questionnaire. Elle a posé une pléthore de questions à 72 femmes, dont celle qui pousse la femme à manifester vocalement son extase. Résultat : pas moins de 66 % des participantes ont avoué crier pour accélérer l'éjaculation. (Que voulez-vous, à un moment donné, il faut que ça finisse.) Un total de 87 % d'entre elles disent crier pour flatter l'estime de soi du partenaire. D'autres le font par fatigue, à cause de la douleur ou, évidemment, pour célébrer le plaisir ressenti. Bref, une bonne part de ces dames avouent s'égosiller lubriquement pour manipuler l'éjaculation de l'homme. Je dois avouer que j'ai failli faire une dépression en apprenant cette nouvelle.

QUAND LE MANQUE D'ORGASME RENDAIT MALADE : LA PETITE HISTOIRE DE L'HYSTÉRIE

L'hystérie est cette « maladie » typiquement féminine qu'Aristote, célèbre médecin de la Grèce antique, a contribué à faire connaître. Pour ce grand penseur de son temps, l'hystérie déstabilisait l'utérus des femmes privées volontairement ou involontairement de relations sexuelles. D'ailleurs, en langue grecque, *hysteria* signifie l'« utérus ». La science de l'époque d'Aristote était convaincue que seule l'entrée du pénis humain dans l'intimité de la femme les en guérirait. Cette cure était efficace contre bien des maux, incluant l'irritabilité, les crises de nerfs et, surtout, un besoin d'avoir de l'attention. Le mariage constituait en ce sens le meilleur des remèdes. Or, puisque les femmes étaient mariées à leur « thérapeute », la maladie guettait beaucoup plus les célibataires, les vieilles filles ou les veuves. Heureusement, les Grecques esseulées et vulnérables pouvaient miser sur l'orgasme assisté pour ne pas sombrer dans ce mal fou. Suffit de recourir au manuel.

Du Moyen Âge à la Renaissance, ce sont des sages-femmes qui parfois donnaient bénévolement des massages génitaux aux femmes solitaires pour les aider à apaiser le terrible monstre utérin. On ne parlait pas d'orgasme, mais bien – et je ne blague pas – d'une bête qu'il faut dompter. Certains extrémistes de la thérapie ont poussé la chose jusqu'à pratiquer une ablation criminelle du clitoris pour contrôler la « maladie ». Cette mutilation appelée excision – et qui est encore pratiquée dans certaines cultures – se faisait aussi en Occident avec le même objectif inavoué de réprimer les désirs et les pulsions sexuelles de la femme.

Les Lumières du XVIIIe siècle n'ont pas réussi à éclairer davantage les Occidentaux sur l'hystérie. Plus tard, au XIXe siècle, toujours convaincus que cette affection devait être soignée chez les femmes, les médecins ont poursuivi le traitement par massages génitaux. Celui-ci est devenu si populaire que certains soignants tiraient le tiers de leur salaire de leur dextérité manuelle. Ces massages représentaient donc un substitut au pénis. Dans certaines cliniques européennes, on recourait aussi à des jets d'eau envoyés directement sur le clitoris. Ainsi, on ménageait la main clinicienne. Aux sceptiques, je conseille de lire le bouquin de l'historienne américaine Rachel P. Maines intitulé *Technologies de l'orgasme*. Vous y découvrirez de ridicules certitudes du passé, dont certaines mériteraient le prix Nobel de la connerie humaine.

En ces temps pas très lointains, une femme, surtout seule, était considérée comme hystérique quand elle était insatisfaite ou frustrée sexuellement, comme si elle portait un défaut de fabrication. Parmi les symptômes répertoriés par les médecins et charlatans pour décrire cette maladie, il y avait l'irritabilité, la nervosité, les lourdeurs à l'abdomen, mais aussi l'omni-présence de fantasmes érotiques. Ainsi, devant une épouse frustrée par l'incompétence de son mari, on blâmait son utérus. Comme cette muqueuse n'avait pas d'avocat pour se défendre, elle devait être remise à sa place. La femme était dès lors prise en charge par un médecin et on lui prescrivait une séance de massage pelvien ; ici, la durée dépendait du talent du toubib ou de l'imagination de la patiente. La consultation était jugée achevée lorsque Madame faisait sa supposée crise d'hystérie salvatrice et qu'elle souriait, détendue. Pas besoin de vous dire que cette thérapie a «joui» d'une forte popularité. Si vous croyez que nos salles d'attente sont pleines, sachez que durant ces belles années, on faisait littéralement la queue chez le mé-decin pour son «coup de main».

Puisque les affligées l'étaient pour la vie et que la maladie ne les tuait pas, il y avait du boulot dans les cliniques de traitement de l'hystérie. Imaginez faire ce travail de 9 à 5. Il y a quand même de quoi avoir la langue à terre à la fin de sa journée. Quand je pense que les gars d'aujourd'hui prennent soin d'une seule patiente et que, malgré cela, ils réussissent à se plaindre de la longueur du traitement... Petites natures !

Comme les malades imaginaires se sont accumulées dans les centres de traitement et que les bons docteurs tenaient à appliquer la technique avec doigté et rigueur, de sévères ten-dinites aux bras sont mystérieusement apparues. Les risques du métier. Après des années à masser les femmes, probablement épuisés et meurtris par des douleurs aux poignets, les médecins ont finalement délégué cette tâche aux infirmières et aux sages-femmes. Mais ces dernières, qui n'étaient pas des robots, ont aussi fini par capituler, obligeant la médecine à chercher des méthodes artificielles de stimulation thérapeutique. À force de se gratter le coco, en 1883, le docteur Joseph Mortimer Granville a inventé l'un des premiers vibromasseurs pour remplacer la main de l'homme. Or, ce saint homme n'a malheureusement pas eu la reconnaissance qu'il méritait. Alfred Nobel a inventé la dynamite et c'est lui qui a un prix à son nom! Je proposerais de remplacer les prix Nobel par des prix Granville, une belle façon de redonner un peu de lustre à ce thérapeute qui a provoqué des explosions de joie à la grandeur de la planète!

Le principal désavantage de son premier vibrateur était sa taille; à elle seule, la pile pesait 18 kilos. Et comme la bête était trop imposante pour un usage domestique, les dames se rendaient à l'hôpital pour subir discrètement leur traitement. Si vous voulez approfondir le sujet avec le bouquin de Rachel P. Maines, prenez le temps d'admirer l'esthétique douteuse des photos de ces machins d'un autre temps. Ces joujoux n'ont rien à voir avec les joyaux multifonctionnels au design recherché qu'on trouve dans les boutiques érotiques d'aujourd'hui. (Du moins, c'est ce qu'un ami m'a dit!) Il faudra attendre jusqu'en 1910 pour que la commercialisation des premiers vibromasseurs portatifs permette aux femmes de découvrir les soins à domicile – une automédication que les hommes, beaucoup plus soucieux de leur santé qu'il n'y paraît, pratiquaient déjà depuis des siècles. Cela les a fort probablement longtemps rendus sourds aux désirs de leurs conjointes.

L'arrivée fortuite de l'électricité facilitera la manipulation et démocratisera l'usage de ces jouets. Selon la compagnie Trojan, il y avait plus de vibromasseurs en 1917 dans les ménages américains que de grille-pain. Arrivé bien avant le grille-pain et l'aspirateur, cet instrument figure parmi les doyens des appareils branchés américains. Mais, jusque dans les années 1920, on considérait encore les vibromasseurs plus curatifs que récréatifs. Certains modèles de l'époque, par ailleurs, effraieraient probablement une femme d'aujourd'hui. Un jour, alors que je donne un spectacle dans une petite ville du Québec avec des photos projetées sur un grand écran, un spectateur âgé, assis en première rangée, m'interpelle pour me remercier. Comme je veux savoir pourquoi, il me répond que grâce à moi, il vient d'élucider un mystère de sa vie. Il m'avoue que ses parents avaient un outil semblable à celui projeté sur mon écran, mais qu'ils n'avaient jamais voulu lui dire à quoi il servait. Cette anecdote a bien fait rigoler la salle.

Il faudra donc attendre leur mise en valeur par l'industrie de la pornographie pour que leurs vertus curatives s'évanouissent dans la nature. À partir de ce moment, le vibromasseur a quitté les salons et les salles de bain pour devenir un objet banni de la maison ou séquestré dans un tiroir à l'abri de la curiosité des enfants. Quand la révolution sexuelle a soufflé sur l'Occident dans les années 1970 et que le sexe a été banalisé, le vibromasseur est revenu à l'avant-scène et a trouvé sa place dans les boutiques érotiques où il est décliné dans différentes versions, avec des performances et des capacités renouvelées.

En 1883, le vibromasseur de Mortimer Granville avait la forme d'une perceuse. On le disait si efficace qu'il pouvait envoyer une femme au septième ciel en moins de dix minutes. Évidemment, de nos jours, il n'est plus dans la compétition. Ces guérisseurs mécanisés d'autrefois sont maintenant des joujoux de plaisir bien plus efficaces. On en trouve pour tous les goûts, dans des designs épurés ou sophistiqués, et on les offre sans gêne sous les applaudissements de ceux et celles qui chantent la libération de la femme.

S'OFFRIR TOUT ENTIÈRE À LA SCIENCE

Les premiers scientifiques à étudier l'appareil génital féminin étaient majoritairement masculins. À preuve, calculez le nombre de conneries rapportées sur le sujet ! Si la tâche vous apparaît, comme à moi, insurmontable, colligez simplement les structures anatomiques de l'appareil reproducteur féminin qui portent des patronymes d'hommes, car en recherche, il est coutume de donner son nom à sa découverte. Par exemple, vous trouverez dans le système reproducteur féminin les trompes de Gabriel Fallope, les follicules de Van de Degraaf, les glandes de Gaspard Bartholin et celles d'Alexandre Sken. Parmi les explorateurs qui ont revendiqué des territoires dans l'antre génital de la femme, celui qui me dérange le plus est Ernst Gräfenberg. Ce dernier a prétentieusement donné son nom au point G. Je me demande ce qu'il en aurait été s'il avait découvert les condylomes. Pourquoi n'a-t-il pas pensé à donner le nom de sa découverte à la femme qui avait accepté de jouer au cobaye et d'offrir son corps à sa science ?

Il faut dire que le territoire de Gräfenberg se rétrécit au fil des découvertes et qu'une bonne poignée de scientifiques n'hésitent plus à nier son existence anatomique. Dans les années 1980, on croyait la localisation du point G si précise que les relations amoureuses ressemblaient à des laboratoires d'archéologie vaginale. Même que certains parlaient d'un point de la taille d'une pièce de monnaie – ce qui a fait croire à d'autres qu'il suffisait d'être « gratte-la-cenne » pour augmenter ses chances de le trouver ! Que voulez-vous, quand la copine de votre conjointe crie sur les toits que son mari a trouvé le sien et qu'une simple pression sur ce point muqueux suffit à la convoyer dans l'espace, se dépêcher de rattraper la concurrence devient primordial. Combien de femmes, par ailleurs, ont-elles rapporté l'avoir trouvé simplement pour mettre une couronne de laurier sur le gars qui couche avec elle ? Car, il faut l'avouer, les hommes ont un besoin presque génétique de se faire dire qu'ils sont irremplaçables au lit. Mais, à tous les prétentieux de la terre, mon grand-père leur dirait : « Quand elle t'appelle *mon taureau* pendant tes deux minutes de performance et *mon lapin* pour le reste de la journée, il est facile de visualiser l'ampleur du décalage entre ta vigueur estimée et ta vigueur réelle. »

Il faut d'ailleurs préciser ici que contrairement à la croyance populaire, être une bête de sexe n'est pas synonyme de performance. Du moins pour ce qui est de la durée des relations. Chez le chimpanzé, le gorille, le chat, le cheval et la souris, les rapports sexuels durent à peine quelques secondes. Quand vous appelez votre amant *mon lapin* ou *mon minou*, on est loin du compliment. Si vous êtes adepte des échanges interminables, choisissez la blatte : elle affiche trois heures de copulation. Mieux, certains escargots s'accouplent pendant douze heures. Après le *slow food*, voici le *slow love*. Et les disciples du *slow love* y penseront deux fois avant d'appeler leur partenaire *mon petit lapin* ! Quoique se faire dire *j'ai envie de toi, mon petit escargot* pourrait ralentir les ardeurs de certains...

Le point G est-il une entité anatomique incontestable ? Le sujet est source de controverse. Certains chercheurs parlent d'une zone particulièrement innervée (mais surtout *énervante* pour ceux qui vivent la pression de la trouver.) Pour les désespérés, il est important de mentionner qu'il existe un point bien visible et approuvé comme étant la plus importante source de plaisir féminin : le clitoris. Avec de la patience et de la délicatesse, il peut remplacer tous les points G de l'humanité. Faudrait-il rappeler que clitoris, en latin, signifie « clé » ? Pensez clé du succès. Utiliser la clé, c'est choisir l'escalier à la place de l'ascenseur : c'est plus exigeant, ça prend un peu plus de temps, mais au final, c'est meilleur pour la santé.

En janvier 2010, une importante étude scientifique réalisée par une équipe du King's College de Londres sur 1 800 jumelles, dont des vraies et des fausses, est arrivée à la conclusion que le point G est complètement subjectif et qu'on ne peut démontrer anatomiquement son existence. Sinon, comment expliquer que des jumelles monozygotiques, qui ont le même patrimoine génétique, n'aient pas la même chance d'hériter de cette source de jouvence ? Cette étude a été relayée par les médias du monde entier et a aussi été sévèrement critiquée par tout un convoi de sceptiques. Elle a dû, par ailleurs, faire se retourner dans sa tombe l'obstétricien Ernst Gräfenberg, lui qui, dans les années 1950, avait démontré son existence.

Remarque intéressante à propos du point G : après chaque étude niant son existence, il se publie presque aussitôt une investigation prônant l'inverse. Pendant que les scientifiques qui jurent l'avoir localisé s'allient les femmes qui l'ont trouvé, les publications qui réfutent son existence décomplexent celles qui cherchent encore. Nous sommes donc devant ce que la sagesse populaire décrit comme étant la recherche d'une aiguille dans une botte de foin. Dans tous les cas, il serait vraiment temps de statuer définitivement sur le sujet pour alléger un brin le poids de l'existence masculine. Aujourd'hui, même l'insondable boson de Higgs n'est plus un mystère. Alors, si 64 ans après les affirmations de Gräfenberg on n'arrive pas encore à localiser précisément une partie de l'anatomie féminine, il est légitime de douter de son existence.

ELISABETH A. LLOYD, LA DÉMYSTIFICATRICE

Quand j'étudiais la physiologie, on apprenait qu'une des fonctions de la jouissance au féminin était de propulser les spermatozoïdes vers l'avant. C'est comme si les cris d'extase de la femme étaient reliés à un aspirateur central qui entraînerait les spermatozoïdes vers l'ovule. Il a fallu, entre autres, le regard d'une femme appelée Elisabeth A. Lloyd, de l'Université d'Indiana, pour ébranler ces liens jusque-là incontestés entre orgasme féminin et conception. En 2006, la publication intitulée *L'affaire de l'orgasme féminin : des biais dans l'étude de l'évolution* avait bousculé bien des certitudes.

« Si les femmes avaient besoin d'avoir un orgasme pour tomber enceintes, vous ne seriez probablement pas là pour en parler », avait-elle indiqué, à juste titre, à ses collègues masculins. À supposer que l'orgasme féminin soit essentiel à la reproduction humaine, il est logique de penser que l'évolution a progressivement favorisé les femmes qui atteignent l'extase plus rapidement. Ainsi, aucune belle n'aurait à *simuler* afin que son homme se perçoive comme une bête de sexe. Ce dernier pourrait bâcler les préliminaires pour crier victoire après deux minutes trente et les maisons closes seraient comparables à des salles de répétition de chorales.

« Si les femmes avaient besoin d'avoir un orgasme pour tomber enceintes, pourquoi le pénis masculin reste-t-il encore l'attirail le moins efficace pour amener une belle au septième ciel ? » se questionnait la chercheuse. Maints orgasmes trouvent leur origine dans le clitoris, qui est difficile à atteindre avec un pénis en action. « Si la nature tenait tant à l'orgasme féminin pour perpétuer l'humanité, m'a dit un jour ma conjointe, pourquoi n'a-t-elle pas pensé à équiper les hommes d'un deuxième appendice à la base du pénis ? » Un acrochordon ou un petit dauphin qui vibre pour faire flipper Madame serait une heureuse solution. Et pourquoi pas une nouvelle articulation pour pouvoir imiter les fonctions rotatives et oscillantes qu'on retrouve sur certains vibrateurs ?

Si l'orgasme féminin était bel et bien un trait évolutif encourageant la fécondation, il faudrait que les deux partenaires jouissent en même temps ou que la femme y parvienne juste après l'homme. Or, la première situation est exceptionnelle, et la deuxième très rare. D'autant que l'homme n'est pas le plus altruiste en matière de sexualité. Souvent, après avoir marqué son but, Monsieur n'hésite pas à arrêter le match et à quitter le terrain en ronflant, parce que l'orgasme masculin semble directement relié au centre du sommeil.

Selon Elisabeth A. Lloyd, il serait illogique de penser que l'évolution a sélectionné l'orgasme pour une minorité de chanceuses. Il ne serait rien d'autre qu'une relique architecturale que l'évolution a oublié de désactiver; des mamelons sur la poitrine d'un homme, c'est tout comme. En effet, ces auréoles qui servent à l'allaitement des bébés chez les femmes n'ont, au fond, qu'un rôle décoratif sur notre poitrine, comme je le disais précédemment. Ces artefacts évolutifs s'expliquent d'ailleurs par le fait qu'au début du développement embryonnaire, le pénis et le clitoris se forment à partir des mêmes tissus. Chez les garçons, la testostérone transforme le tissu multifonctionnel en pénis alors que chez l'embryon femelle, c'est l'absence de testostérone qui détermine la formation d'un clitoris. Ainsi, étant donné que les tissus érectiles du clitoris et du pénis ont la même origine, selon ce que nous dit la spécialiste, les femmes ont hérité partiellement de l'orgasme masculin.

En d'autres mots, si l'orgasme féminin existe, dit Elisabeth A. Lloyd, c'est que l'orgasme masculin est indispensable à la reproduction. Il aurait été conservé chez les femmes parce qu'il ne présente pas d'effets négatifs pour l'espèce. Et contrairement à la croyance populaire, ce n'est pas faute d'avoir tiré à la courte paille (ou la plus longue, car un organe de taille moyenne procure encore bien du plaisir). On reste entre le premier et le sixième ciel, ce qui est aussi bien agréable.

APRÈS LE POINT G, LE POINT R (POUR RIRE)

Si les choses sont obscures pour le point G, d'autres recherches sur l'orgasme féminin semblent plus fiables. Par exemple, en étudiant l'activité cérébrale d'hommes et de femmes soumis à des stimulations sexuelles, le neurobiologiste néerlandais Gert Holstege et ses collègues de l'Université de Groningen ont démontré qu'au moment de l'orgasme, le cerveau féminin désactive l'amygdale cérébrale qui est une zone impliquée dans la perception de la peur et de l'anxiété. La confiance au partenaire est donc indispensable pour un relâchement psychique. Bref, la femme s'abandonne plus facilement quand elle est bien avec l'autre. C'est une trouvaille qui devrait être connue de tous les hommes désireux d'améliorer leur approche conjugale. C'est là que réside probablement la puissance de l'humour en amour.

En plus d'être un critère de sélection du partenaire, le rire, comme l'orgasme, diminue le stress et détend toutes les parties du corps humain. De fait, ses vertus sur la santé ne sont plus à démontrer : les bons éclats de rire travaillent les abdominaux, diminuent les sensations de douleur somatique et psychologique, et améliorent le système immunitaire. Or, cette manifestation sonore de la joie est loin d'être le propre de l'homme, n'en déplaise à Rabelais. Même les rats rigolent sous une certaine forme quand ils sont chatouillés. Vous ne serez donc pas surpris si je vous dis que nos cousins les singes rient eux aussi. Les travaux de Marina Davila Ross, zoologiste à l'Université de Portsmouth en Grande-Bretagne, ont apporté des résultats intéressants à ce sujet. Avec plus de 800 enregistrements du rire de 22 jeunes gorilles, chimpanzés, bonobos, orangs-outangs et d'un siamang, elle et ses collègues ont démontré que les jeunes singes s'esclaffent, gloussent et rigolent comme des bambins lorsqu'on leur chatouille les pieds, les paumes des mains ou les aisselles. Évidemment, si vous racontez une blague à un jeune chimpanzé, il ne pouffera pas de rire, mais si vous le chatouillez, il rira à gorge déployée. Si, plus ambitieux, vous décidez de faire le même exercice avec un gorille adulte, il y a une seule condition à respecter avant de procéder : c'est de vous assurer que ça lui tente vraiment de recevoir des *guili-guili* si vous tenez à votre vie.

Pour les évolutionnistes, l'origine du rire dans le règne animal remonterait entre 30 et 60 millions d'années. Si cette manifestation sonore est aussi vieille, c'est qu'elle a certainement un rôle évolutif. Rire ensemble n'est-il pas la meilleure façon de faire baisser les tensions dans la famille, la tribu ou le groupe ? Le rire est un baume social contre les tracas de l'existence, et c'est probablement pour cette raison que les femmes sont si sensibles à la drôlerie. Tous les humoristes vous confirmeront d'ailleurs que ce sont les dames qui, le plus souvent, traînent leur mari dans les salles de spectacle. Au lieu d'un abonnement annuel à un *gym* pour développer de gros muscles, une inscription à l'École nationale de l'humour est plus judicieuse pour celui qui veut *pogner*.

Je suis convaincu que le succès des hommes drôles avec les femmes est en partie explicable par leur capacité à apaiser leurs craintes. L'humour est d'une redoutable efficacité auprès de la gent féminine, et la science commence seulement à dévoiler les pièces du mystère. Une étude réalisée en 2013 par l'équipe de Pascal Vrticka, de l'Université de Standford, a rapporté que le circuit de la récompense du cerveau féminin est plus adapté et plus sensible à l'humour que celui des garçons. L'imagerie par résonance magnétique, ou IRM, qui est une méthode d'observation de l'activité cérébrale, a révélé à ces chercheurs que la drôlerie provoque une plus forte activation du cerveau des jeunes filles que de celui des garçons. Cela laisse penser que le sens de l'humour est un critère de séduction pour les femmes et pas nécessairement pour les hommes, qui auraient plutôt tendance à rechercher les filles pour rire de leurs blagues, même si elles ne sont pas drôles.

ÉVITER LA JOUISSANCE
POUR PRÉSERVER SA PUISSANCE

S'il y a une croyance bien ancrée dans le milieu du sport de haut niveau, c'est la nécessité de bannir le sexe avant une compétition. L'athlète masculin y voit là une façon de préserver toute son énergie afin de maximiser sa performance. Certaines grandes équipes séquestrent même les sportifs dans des hôtels pour les empêcher de s'envoyer en l'air avant un match et, *de facto*, bousiller les chances de victoire. C'est une croyance que le biologiste en moi n'arrive pas à saisir, car en plus d'augmenter la testostérone sanguine et de détendre les muscles et l'esprit, le sexe est loin d'être énergivore au point de nuire à une performance sportive. À moins, bien sûr, de passer la nuit les jambes en l'air.

D'où vient cette croyance devenue un dogme dans le milieu de la boxe ? Le grand champion Mohamed Ali disait éviter le sexe avant un combat. Pourtant, étant donné que la testostérone sanguine augmente pendant le sexe, le grand Ali aurait probablement gagné en agressivité en faisant l'amour avant d'enfiler les gants. Mais attention, dans ce cas, il faut s'assurer que le match commence immédiatement après l'éjaculation. Sinon, les endorphines et l'ocytocine feront basculer le corps vers une détente susceptible d'endormir un boxeur dans le ring. La ligne est mince entre s'envoyer en l'air et se faire envoyer au tapis. Il est bien connu que l'éjaculation ôte les hommes des bras de leur conjointe pour les pousser dans ceux de Morphée.

Peut-être aussi que la longue abstinence rendrait les boxeurs plus méchants, car on sait qu'un mâle sexuellement comblé est souvent plus pacifique. J'entends parfois dire que les taureaux qui ont été longtemps frustrés sexuellement sont les plus agressifs dans une corrida. Chez les femmes sur le ring, un entraîneur d'expérience m'a révélé un jour qu'au contraire des hommes, le sexe avant le match semblait une stratégie plutôt gagnante.

Dans un passé lointain, les savants avaient des visions antithétiques sur le sujet. Pline l'Ancien, historien romain du Ier siècle, croyait dur que le sexe était une façon de revitaliser les athlètes avant une compétition. Le poète Homère, lui, professait que le sexe pouvait nuire à la performance sportive. Jusqu'à aujourd'hui, aucune étude sérieuse n'a vraiment validé ou invalidé scientifiquement cette croyance. Les rares explorations sur le sujet tendent même à prouver l'inverse. Une étude suisse publiée en 2000 dans le *Clinical Journal of Sport Medicine* par Samantha McGlone et Ian Shrier a rapporté que l'activité sexuelle la plus intense entre personnes mariées dépasse rarement plus que 50 kilocalories, ce qui est très peu pour nuire significativement à une performance sportive. Voilà peut-être pourquoi le célèbre gérant des Yankees de New York, Casey Stengel, disait : « Passer toute la nuit avec une femme n'a jamais fait de mal à un joueur de baseball professionnel. C'est rester debout toute la nuit à en chercher une qui est mauvais. »

Franchement, si le sexe nuisait au sport, comment expliquer que Tiger Woods était au summum de sa popularité quand il couchait avec la moitié des Américaines. Qu'est-il arrivé au tigre des pelouses depuis qu'on l'a privé de son harem ? Débandade. Le sexe peut améliorer la performance sportive, nous en avons un cas patent.

QUAND LA PETITE MORT MÈNE À LA GRANDE

Mourir pendant une partie de jambes en l'air, c'est ce que la science appelle poétiquement l'épectase. Dans le langage courant, c'est tomber mort raide. Une expression qu'il ne faut d'ailleurs pas confondre avec tomber raide mort. Si tomber raide mort c'est le trépas, tomber mort raide mort c'est le Viagra. Dans l'histoire de l'humanité, quelques personnages célèbres ont crevé pendant des ébats sexuels et, très souvent, c'est la femme qui apprend malheureusement que son mari cardiaque a expiré dans les bras d'une autre. C'est passer de la petite mort à la grande. Deux exemples de politiciens célèbres sortent du lot. En 1979, Nelson A. Rockefeller, l'ancien vice-président des États-Unis, a succombé à 70 ans d'une crise cardiaque dans les bras de sa maîtresse, une jeune femme de 27 ans qui était aussi membre de son cabinet. Elle voulait tellement taire la chose, avancent certaines sources, qu'elle ne savait pas quoi faire de son patron en pleines convulsions. Elle aurait donc attendu plus d'une heure avant d'appeler les secours. L'autre politicien qu'on dit mort en épectase, c'est le président français Félix Faure. Il a trépassé le 16 février 1899, au Palais de l'Élysée, des suites d'une fellation. Il paraît que la femme qui était avec lui a été rebaptisée la « pompe funèbre ». En dehors de quelques exemples qui ont traversé le temps, le sexe n'a pas causé autant de crises cardiaques qu'on le croit.

Le sexe serait plus mortel pour les amateurs de sensations fortes, ceux qui aiment le « sextrême ». L'actualité regorge d'ailleurs de faits insolites où le sexe a causé la mort. Ici, deux amoureux sont tombés du haut d'un balcon pendant leurs ébats ; là, un couple voulant ajouter du piquant à son safari a fini entre les griffes d'un lion. Si vous faites l'amour juché dans un arbre ou en sautant en parachute, le sexe a plus de chances de vous tuer que si vous avez une petite faiblesse au cœur. Une équipe de Harvard a rapporté en 1996 que cette probabilité de faire une crise cardiaque pendant une relation sexuelle était de deux chances sur un million, ce qui est très faible pour se priver d'une soirée romantique.

Si chez l'humain le sexe mène rarement à la mort, dans le règne animal, il existe une espèce dont la gourmandise pour la chose fait véritablement trépasser. Cet animal est un petit marsupial australien d'une dizaine de centimètres appelé antechinus. De la taille d'une souris, ce kangourou miniature rend son dernier soupir en jouissant. Lorsqu'on a inventé l'expression « être une bête de sexe », on pensait sans doute à cet animal. Ses pulsions sexuelles printanières sont si puissantes qu'elles lui font oublier de manger et de boire. Le problème de l'antechinus réside dans son très haut niveau de testostérone. Cette surdose de virilité le pousse à passer les trois dernières semaines de sa vie à courir la galipote, comme on dit au Québec. Butinant d'une femelle à l'autre, le mâle peut passer plus de quatorze heures par jour à s'accoupler ou à chercher à le faire. Le surplus d'hormones sexuelles affaiblit progressivement son système immunitaire jusqu'à lui causer de graves hémorragies internes. À la fin de leur vie, des mâles, épuisés et fragilisés par leur insatiable appétit sexuel, deviennent aveugles. Ne dit-on pas que l'amour rend aveugle ?

L'Australien Andrew Baker, un spécialiste de cette espèce, raconte que les antechinus sont si obsédés par le sexe qu'il peut déposer un couple en plein coït dans la paume de sa main sans qu'ils cessent de copuler. Heureusement, même si leur cerveau est moins possédé par les hormones sexuelles que les mâles, les femelles sont aussi très portées sur la chose. Si les mâles meurent en période de reproduction, c'est aussi pour donner leur vie à leur progéniture. Selon le spécialiste australien, les corps des mâles en décomposition attirent une multitude d'insectes qui deviennent des proies pour les femelles en gestation. Cette nourriture abondante favorise donc la survie de sa descendance. Ils ont donné leur vie à leur enfant, dirait la sagesse populaire.

Chapitre 4

LES ORGANES GÉNITAUX

Comme elle savait que le sexe du mâle serait souvent au garde-à-vous pour une éventuelle conquête, la nature a simplifié sa mécanique génitale en misant sur un banal système hydraulique : des pompes, des tuyaux, des pistons. Un appareil aussi rudimentaire qu'une robinetterie de cuisine, pourrait-on dire. Et pour faciliter encore davantage sa mise en marche, il n'y a qu'à laisser opérer les sens : le boyau mâle s'allonge à l'odeur, à la vue, au toucher, au goût et à l'ouïe. Une simple pensée, même, peut suffire à activer la pompe, disait une pas si sage. Le pénis humain est un appareil aussi facile à faire fonctionner qu'ouvrir une porte d'armoire.

LA MÉCANIQUE
ET L'ÉLECTRONIQUE

En plus de servir de tuyau de transport des spermatozoïdes et du bouillon qui les contient, le pénis, multifonctionnel, sert aussi à sortir l'urine. Ainsi, l'ADN, qui est ce que nous avons de plus précieux en nous, emprunte le même chemin que les déchets pour sortir de notre corps. Ça, c'est à mon avis une injustice de la nature. Mais pour nous consoler, il faut aussi avouer qu'avoir cette rallonge est bien pratique quand l'envie d'uriner devient intenable. On peut le faire dans toutes les positions, tous les endroits, et on peut même parfois jouer à écrire notre nom sur la neige. La mère d'un de mes amis trouvait les hommes bien bizarres. La nature, disait-elle, nous avait équipés d'une extension bien pratique et, pourtant, on trouvait quand même le moyen de manquer la cible et de laisser des traces sur le rebord des toilettes.

Je crois que la nature aurait quand même pu se forcer un peu et trouver une autre route de passage à l'urine. Après tout, chez la femme, le clitoris qui est l'organe érectile ne sert qu'à la sexualité. Le clitoris a un gland riche de milliers de terminaisons nerveuses et qui est l'homologue du gland du pénis. Il est aussi surmonté d'un capuchon qui rappelle anatomiquement un prépuce. Mais le tissu érectile de la femme est bien plus important que cette partie visible. Le clitoris a des prolongements, dont un corps, des racines et d'autres ramifications secondaires, qui s'étendent sur quelques centimètres de sensibilité localisée dans la paroi antérieure du vagin. Ces tissus érectiles de la femme englobent le point G, qui serait plus une entité géographique qu'une structure anatomique individualisée. Autrement dit, contrairement à la croyance populaire, les tissus érectiles féminins sont d'une grandeur presque comparable à celle de l'homme.

Si l'homme est doté d'un système mécanique, la femme semble avoir un système électronique. Est-il important de rappeler ici que l'électronique, c'est toujours plus compliqué ? Comme je le disais plus tôt, pour que Madame éprouve l'envie de passer au lit, il faut entre autres que Monsieur réussisse à désactiver dans son cerveau les centres de la peur et du stress. Certains criminels sexuels n'hésitent d'ailleurs pas à utiliser des substances illicites pour neutraliser la garde féminine. C'est le cas du GHB (gamma-hydroxybutyrate) qu'on qualifie parfois de « drogue du viol ». Cette drogue a, entre autres, un effet inhibiteur sur les réactions de peur et d'anxiété qui nous servent de système d'alarme.

C'est une substance qui se présente sous forme de liquide incolore, insipide et inodore. Elle est traditionnellement utilisée à des fins médicales. Mais comme c'est le cas pour la plupart des drogues, son rôle premier a été détourné par des esprits malveillants pour en faire un objet d'agression et de contrôle sexuels. Pris à faible dose, l'effet du GHB s'apparente à une ivresse éthylique qui paralyse les systèmes responsables de nos réactions de peur, de stress et d'anxiété.

Loin d'être un aphrodisiaque, le GHB provoque une désinhibition sexuelle. Il empêche aussi la sécrétion de dopamine et, par conséquent, toute réactivité de la personne intoxiquée. Celle-ci ignore ce qu'elle veut et ne peut refuser ce qu'elle ne veut pas. Imaginez-la sans motivation, elle ou lui qui n'a plus peur, qui perd la mémoire, qui frôle la somnolence et qui éprouve des sensations de vie en rose à cause des endorphines circulant dans son corps. Une proie facile qu'un esprit malintentionné peut déshabiller et traiter comme un objet sexuel sans que les détails de cette agression gardent des traces bien précises dans sa mémoire. Une dose d'enfer dans le sang.

L'OBSESSION POUR LA TAILLE DU PÉNIS

Dans mes premiers textes d'humour racontés sur scène, je disais que dans ma culture d'origine, celle des Sérères du Sénégal, à l'âge de 17 ans, c'est le temps de la circoncision et de l'initiation des garçons. L'initiation m'avait tellement fait mal que des années plus tard, quand on m'a annoncé à l'Université de Rimouski que j'allais être initié, je n'ai pas dormi pendant trois semaines. Mon grand-père disait qu'il arrive à celui qui a déjà été piqué par un serpent de se méfier d'une simple corde à la tombée de la nuit. Je ne pouvais imaginer que cette initiation était une beuverie organisée pour souhaiter la bienvenue aux nouveaux de chaque programme d'études. Mais revenons à cette circoncision qui m'avait bien traumatisé. Pour opérer dans les bonnes conditions, le garçon était d'abord emmené de force et installé sur une énorme bûche, appelée le bloc opératoire. Là, trois gaillards veillaient à le maintenir en place, tandis que lui tenait son bout. Une fois immobilisé, le sorcier se pointait avec une énorme machette et coupait le prépuce. Alors que le prépuce était encore chaud et sautillant, on le récupérait, on le taillait soigneusement et on fabriquait au jeune homme son tout premier tam-tam! À la fin de l'initiation, chaque garçon devait trouver un nouveau nom au bout qui lui restait. Vous comprendrez donc ma surprise quand je suis allé ouvrir mon premier compte à la caisse populaire, au Québec, et qu'on me demandait à la première ligne du formulaire d'adhésion de décliner le nom du membre. J'avais l'impression de découvrir une convergence culturelle entre le Québec et mon village africain natal. Évidemment, je ne vous dirai pas comment s'appelait le mien, car la tradition veut que cette appellation reste un secret initiatique.

S'il est vrai qu'on pratiquait autrefois la circoncision au couteau dans ma culture d'origine, les histoires de bloc opératoire et de baptême génital sont inventées. Je vous rassure. Ce numéro d'humour traitait surtout de cette obsession pour la taille du pénis qui crédite souvent aux bronzés de mon acabit une longueur d'avance sur la concurrence. Je voulais bousculer cette idée selon laquelle, au premier jour de la Création, dans le grand panier qui contenait tous les pénis de l'humanité, les Africains s'étaient servis les premiers et les Asiatiques à la fin, mais tout le monde est resté insatisfait.

Bien que l'homme soit souvent insatisfait de ce dont la nature l'a pourvu, il est une des espèces disposant des plus gros pénis par rapport à leur taille. Inconscients de ce privilège, une bonne proportion d'entre eux vit avec le syndrome du vestiaire. «Suis-je suffisamment équipé pour exhiber mon intimité devant tous ces mâles?» se demandent-ils. «Je suis certain que cet étranger a un organe au moins deux fois plus long et plus gros que le mien», ajoutent d'autres. Je dois avouer que ce mythe très positif sur le *Black* a été une grande découverte quand, parti de ma savane ancestrale, j'ai posé les pieds au Canada. En fait, je trouvais ce préjugé favorable à mon clan foncé, mais certains y voient au contraire une forme de discrimination. L'auteur Serge Bilé, dans son bouquin intitulé *La légende du sexe surdimensionné des Noirs*, raconte que cet héritage est encore une forme d'infériorisation des Noirs qui provient de l'époque coloniale qui se traduirait ainsi : la nature vous a posé de gros pénis pour s'excuser de vous avoir mis moins de neurones dans la tête !

Au risque de me faire détester par les Afros qui profitent largement de ce mythe tenace, il n'y a aucune étude sérieuse attestant que les Noirs sont mieux membrés que les Blancs. De toute façon, la nature n'avait aucun intérêt à surdimensionner le pénis humain, car la taille des organes n'est pas synonyme de fécondité ou d'efficacité sexuelle. Alors, il faudrait jeter à la poubelle tous ces problèmes de confiance en soi causés par la certitude d'avoir un plus petit organe. D'ailleurs, les Grecques de l'Antiquité n'en avaient que pour les pénis de petite taille. La virilité était associée à la miniaturisation génitale et les gros pénis parfois décrits comme des signes d'infertilité. À plus forte raison, chez les Romains, un gros pénis évoquait une absence totale d'esthétisme et d'harmonie.

Chez l'homme, la taille moyenne du pénis au repos oscille entre 9 et 9,5 cm. Et en érection, si vous mesurez entre 12,8 et 14,5 cm, vous êtes dans la moyenne. Même avec un organe de 7 cm bien utilisé, la plupart des dames ne se plaindront pas. J'ai bien dit la plupart. Alors, si vous faites partie des exceptions, ne m'envoyez pas de message, Mesdames. La zone la plus sensible dans le vagin, y compris le controversé point G, est située à moins de 4 cm de profondeur. Inutile, Messieurs, de l'étirer, le gonfler, le rallonger ou répondre à tous ces courriels vous proposant d'augmenter votre organe moyennant quelques centaines dollars – au bout du compte, vous gagnerez quelques millimètres, tout au plus. Et de toute façon, même si un boa se terre dans vos bobettes, sachez que le col de l'utérus est un stop obligatoire. Si votre engin est apte à livrer une poignée de spermatozoïdes dans un vagin, ceux-ci se débrouilleront pour arriver à destination, et le travail sera fait. Ce n'est pas la taille de la baguette qui compte, mais la façon de s'en servir, disait un vieux sage québécois.

Évidemment, un pénis d'éléphant ou de cachalot en érection, ça intimide. Mais il faut relativiser. Chez les éléphants, le pénis en érection peut atteindre 2 m. Mais si l'éléphant avait la taille d'un humain, son pénis mesurerait 26 cm en érection, ce qui, au demeurant, est moins impressionnant. La baleine bleue a un gigantesque organe atteignant parfois 2,5 m. Mais si on rapporte cette longueur à une taille humaine, ce cétacé n'aurait plus qu'un maigre 10 cm pour copuler. Toute proportion gardée, l'homme reste tout de même choyé dans le grand groupe des mammifères pour ce qui est de la taille du pénis. Tenant compte de cette correction, nous pouvons même nous vanter d'être plus membrés qu'un étalon.

La nature a préféré donner aux spermatozoïdes la capacité de se déplacer plutôt que de miser sur un phallus de balane, ces petits crustacés qui sont des champions pour ce qui est de la longueur du pénis. Ces organismes sont sessiles, c'est-à-dire qu'ils vivent fixés en permanence sur des rochers ou des baleines, par exemple. On le déduit, leur incapacité à se déplacer complique les rapports sexuels. Pour contrer ce problème, les balanes ont, avec l'évolution, développé des pénis télescopiques qui peuvent faire huit fois leur propre taille. Si la partenaire est fixée à quelques centimètres, le mâle sort sa perche et transporte ses spermatozoïdes jusqu'à elle.

Si la taille du pénis a toujours été une obsession pour les hommes, paradoxalement, elle ne semble pas être une préoccupation majeure pour la grande majorité des femmes. Pourtant, les hommes n'ont jamais cessé de chercher des façons de gagner quelques centimètres. Dans certaines cultures et traditions, il était courant d'allonger le pénis en y accrochant des poids de plus en plus lourds, et ce, à partir de l'adolescence. C'est le cas des Karamojongs, une tribu du nord de l'Ouganda. Pour des raisons spirituelles, les adolescents devaient suspendre des disques de plus en plus lourds sur leur pénis. Avec le temps, l'organe s'allongeait. S'ils s'enorgueillissaient d'un membre de 40 cm, en revanche, les hommes de ce peuple pouvaient perdre en sensibilité et en capacités érectiles.

Une histoire comique raconte qu'un jour, un anthropologue français s'est rendu en Ouganda, désireux de comprendre le sens de ce rituel. Arrivé au village des Karamojongs, il demande au chef s'il peut avoir le même résultat en se faisant attacher des poids sur le pénis. « Tout le monde est capable. Commencez donc par ceci », lui répond le chef en lui suspendant un disque d'un kilo sur le pénis. Une semaine plus tard, le chef croise l'anthropologue blanc qui souffrait le martyre. Il lui demande alors s'il a gagné quelques centimètres. « Je n'ai pas encore observé le moindre rallongement, répond le Blanc. Mais je crois être sur le bon chemin : la couleur a déjà changé. »

Cette pratique bizarre remonte à une croyance selon laquelle le pénis des Karamojongs est la demeure de leur divinité. Comme aucune maison n'est assez vaste pour leur Créateur, il fallait défier la nature afin de lui offrir plus de confort. Bref, pendant que les Égyptiens construisaient d'imposantes pyramides pour leurs divinités et que les Européens érigeaient des cathédrales aux clochers vertigineux, les Karamojongs, eux, s'étiraient ce qu'ils avaient de plus précieux pour abriter leur maître de la Création.

L'élongation du pénis est aussi pratiquée par certains membres de la secte hindouiste des Sâdhus. Mais ici, c'est le désir charnel qu'on essaye de réprimer pour accéder à l'illumination. L'Inde étant devenue une destination touristique, la modernité a rattrapé les Sâdhus qui, moyennant quelques dollars, proposent aux touristes voyeurs de soulever de lourdes roches avec leurs organes génitaux. Mais, avis aux amateurs de ce genre d'expérience : trop étiré, le pénis perd sa sensibilité et devient une simple cordelette pendouillant entre les jambes.

Tous ceux qui souffrent du syndrome des vestiaires devraient se rappeler positivement que l'homme est bien privilégié par la nature si on le compare à ses cousins proches que sont les chimpanzés et les gorilles. Chez ces grands singes, le pénis dépasse rarement 2 cm de longueur alors que l'organe humain en érection oscille entre 8 et 25 cm. Pour ceux qui exagèrent dans ce domaine, rappelons qu'un entrejambe imposant n'est pas toujours le cadeau qu'on souhaite.

Pour s'en convaincre, il suffit de se remémorer le passage médiatisé de Jonah Falcon à l'aéroport de San Francisco, en 2003. Connu pour son pénis qui mesure 33 cm en érection, cet Américain, surnommé *Mister Big*, avait créé toute une panique chez les douaniers, troublés par la bosse qu'il traînait entre ses cuisses. Les agents ne pouvaient pas imaginer que Monsieur transportait une troisième jambe sous ses vêtements. Heureusement, *Mister Big*, qui est habitué à de telles interpellations, ne se gêne plus pour se mettre à table – je veux dire pour se la mettre sur la table – et éviter toute confusion au sortir des scanners corporels aéroportuaires.

PÉNIS ACADEMY

Depuis trop longtemps, une flopée d'études pseudo-scientifiques sur la longueur du pénis humain réussissent par la bande à faire les manchettes des journaux. Il s'agit entre autres d'explorations portant sur sa longueur ou sa circonférence et qui sont publiées par des chercheurs masculins qui, en passant, doivent chercher leur véritable orientation sexuelle. Pardonnez-moi, mais, quand mesurer des pénis devient un intérêt scientifique pour un homme, il est permis de s'interroger sur ses motivations premières. Quelle peut bien être la finalité d'une telle étude à part ameuter une certaine presse au contenu douteux ? De toute façon, les résultats restent les mêmes : les Africains en ont un long et les Asiatiques sont en queue de peloton. Mais si ces « études » trouvent leur lectorat, c'est aussi parce que l'obsession pour la taille et la performance de son sexe flirte presque avec la pathologie chez le mâle *Homo sapiens*. Si on faisait un sondage sur le nombre de fois que les couples hétérosexuels font l'amour dans un pays donné, il y a de fortes chances que les hommes avancent un chiffre deux fois plus élevé que les femmes. Il faudra alors ouvrir la porte à l'infidélité et aux plaisirs solitaires pour équilibrer les résultats.

Le Britannique Richard Lynn a publié en 2012, dans la revue *Personality and Individual Differences*, une étude sur le pénis humain qui a été largement relayée par la presse internationale. Il s'agissait d'un classement des populations mondiales en fonction de la taille de leurs phallus en érection.

Comme on pouvait s'y attendre, ce sont les habitants de la République démocratique du Congo qui sont arrivés en tête de liste avec une moyenne de longueur plus que respectable de 18,03 cm. Même si apprendre que les Congolais avaient coiffé les Sénégalais ne m'a pas fait du bien, j'ai quand même parcouru le reste du classement. Après les Congolais suivaient dans l'ordre les Équatoriens (17,78 cm) et les Ghanéens (17,46 cm). Chez les visages pâles, les Islandais étaient les plus chanceux avec (16,51 cm). Venaient ensuite les Hollandais (15,87 cm), les Belges (15,85 cm), les Italiens (15,74 cm), les Allemands (14,47 cm), les Anglais (13,97 cm) et les Espagnols (13,93 cm).

La véritable surprise de l'étude de Lynn, ce sont les Français : ils affichaient une moyenne de 13,53 cm, à égalité à la 15e position mondiale avec les Australiens et derrière les Anglais. Pas besoin de vous dire qu'être devancé de 44 mm par les Anglais a été certainement accueilli comme une honte nationale à Paris. Il paraît que les Français se préparent à publier une étude sur la taille des testicules. Je vous laisse deviner quelle nation sera en haut de la pyramide.

Comme on pouvait le deviner, dans le classement de Lynn, l'Asie a encore clôturé la marche avec les deux Corées affichant la même moyenne de 9,65 cm, preuve qu'on peut être politiquement distant et intimement très proche. Le Canada, lui, est malheureusement situé au 76e rang mondial, ce qui paraît peu surprenant car tout ce qui rallonge avec la chaleur tropicale rétrécit avec le froid de Montréal. Si cela peut rassurer les habitants du pays des castors, je rappellerais que la mondialisation des cultures risque d'amener bientôt le Canada vers une taille moyenne autour de laquelle graviteront tous les pays d'immigration. Cette vision optimiste n'est toutefois pas partagée par tous les Montréalais. Une amie québécoise croit qu'en attendant cette standardisation hypothétique, le Canada gagnerait peut-être à diminuer l'immigration asiatique et ouvrir plus largement ses frontières aux Congolais. À chacune ses préférences.

À cause du passé nébuleux de son auteur, mais aussi de son caractère tendancieux, cette étude avait provoqué des levées de boucliers. Pour cause, Richard Lynn a souvent été accusé à tort ou à raison d'être eugéniste et raciste. Il avait jadis publié un article classant les populations mondiales non pas selon la longueur de leur phallus, mais selon leur quotient intellectuel (QI). Or, en superposant ces deux études, on remarque que les gens qui apparaissaient moins intelligents dans cette première publication sont bizarrement ceux qui avaient de plus gros pénis. On revient alors à la théorie de Serge Bilé dans *La légende du sexe surdimensionné des Noirs* dont je parlais plus haut.

UNE PERTE DE 10 %
QUI FAIT DU MAL

L'évolution de la taille du pénis a tout de même été étudiée sérieusement. Dans un travail mené par le professeur Carlo Foresta de l'Université de Padoue, en Italie, et publié en 2012, on apprenait que la longueur moyenne du pénis humain au repos a raccourci de 10 % au cours des 60 dernières années. Cette diminution, que plusieurs qualifieraient de catastrophique, serait attribuable aux perturbateurs endocriniens qui abondent dans notre alimentation et notre environnement. Ceux-ci nuiraient à la production de testostérone et à l'activité optimale de cette hormone, surtout pendant le développement embryonnaire. Il est bien connu par les biologistes du développement embryonnaire que les proportions des parties du corps sont dictées par un équilibre finement contrôlé dans le dosage des hormones sexuelles. Ces mêmes perturbateurs endocriniens sont d'ailleurs pointés du doigt dans la baisse notable de la qualité du sperme au cours des 30 dernières années.

Une autre explication avancée par ce même chercheur est liée à l'obésité, cette épidémie qui frappe la population mondiale et affecte la production des hormones sexuelles pendant l'adolescence. La longueur du pénis est inversement proportionnelle au surpoids. Heureusement, la même étude nous apprend que pendant que le pénis rétrécit, nos bras se sont allongés. Voyons les choses du bon côté : un long bras doublé d'une dextérité digitale améliorée représente des atouts pour celui qui veut vraiment faire plaisir à sa partenaire.

LES TESTICULES HUMAINS

Ces deux boules qui pendent entre les jambes des hommes sont, dans plusieurs cultures, gage de masculinité. Un vrai homme a des couilles, dit la pensée populaire d'ici pour parler d'un frondeur. Or, cet organe reste imparfait. En fait, il est asymétrique. Ça s'explique. C'est d'ordre ergonomique. Si le partenaire gauche pend plus bas que le droit, c'est pour les empêcher d'être à l'étroit dans cet espace limité qui leur est réservé entre les jambes, comme peuvent l'être deux noisettes à la jonction de deux branches. En Europe, au Moyen Âge, une croyance voulait que le testicule gauche soit le lieu de fabrication de la semence qui générait les filles et le testicule droit celui qui produisait les garçons. Certains charlatans n'hésitaient pas alors à proposer au futur papa de se faire retirer le testicule gauche pour s'assurer d'une descendance uniquement masculine.

Le mot testicule dérive du latin *testis* qui signifie «témoin». Cette correspondance s'expliquerait par une histoire que certains spécialistes considèrent comme plus proche de la légende que de la vérité. Dans la Grèce antique, lors d'un procès, par exemple, il était commun pour un témoin de mettre sa main sur ses testicules pour jurer. Avant cette période, on prêtait serment en se faisant tenir les testicules par l'autre à qui on voulait garantir sa loyauté. Cela expliquerait-il la parenté orthographique des mots «testimonial», relatif au témoignage, et «testicule»?

Ces serments testiculaires, dont l'existence ne fait pas l'unanimité chez les historiens, sont ce qu'on pourrait appeler un voyage au pays des bonobos. Quand deux mâles bonobos se rencontrent, il arrive qu'ils saisissent mutuellement leurs testicules. Loin d'être une façon de prendre l'autre à parti, les bonobos se serrent les couilles un peu comme on se serre la main, pour se dire bonjour, tout simplement. Selon Frans de Waal, cette sympathique poignée de scrotum permet d'atténuer les tensions sociales et d'éviter les affrontements.

De toute façon, quand on se tient réciproquement les parties sensibles, la délicatesse envers l'autre est de mise. Il est bien mal avisé d'envoyer promener quelqu'un qui tient votre avenir au creux de sa main. C'est comme si ces singes bien portés sur le sexe avaient amené le fameux jeu *Je te tiens par la barbichette* à un niveau supérieur (pour ne pas dire inférieur). Quand on y pense, on pourrait voir ici une relique de cette pratique chez l'humain. Je pense à la manie qu'ont les jeunes garçons, et même les adultes, de se dorloter le paquet, particulièrement devant la télé, pour relaxer.

Chapitre 5
LE SPERMATOZOÏDE

Si le spermatozoïde pouvait parler, il dirait certainement à l'humanité : « Vous savez, la vie d'un spermatozoïde n'est pas de tout repos. Quelques minutes après notre sortie, environ 90 % des combattants agonisent, brûlés par l'acidité du vagin. Vous avez beau vouloir faire l'amour et pas la guerre, jamais vous ne pourrez éviter ce génocide cellulaire. Pour celui d'entre nous qui espère porter le maillot jaune, pédaler rapidement et franchir le col de l'utérus devient la seule option. En fait, le seul instant de bonheur dans la vie d'un spermatozoïde, c'est quand il attend en rang serré dans les canaux déférents que votre pistolet tire son dernier coup. Alors, les gars, si vous ne voulez pas étirer les caresses pour plaire à votre partenaire, faites-le au moins pour rallonger les derniers instants de bonheur de vos millions de locataires. Les préliminaires sont aux spermatozoïdes sur le bord du corridor ce que le dernier repas est au condamné dans le couloir de la mort.

« Certains d'entre vous se bombent le torse en tonnant que leur spermatozoïde a été le meilleur sur 400 millions de compétiteurs. Sauf que les choses ne sont pas aussi simples. Sachez que le spermatozoïde qui féconde un ovule est plus chanceux que rapide. La preuve, seulement 30 minutes après notre expulsion, les plus véloces et chanceux coureurs peuvent être localisés sur le site de fécondation. Mais que font-ils en l'absence de l'ovule ? Et même si l'ovule est au rendez-vous, ces sprinters ne peuvent pas toujours concevoir. Pour cause, après l'éjaculation, ils doivent subir des transformations physiologiques majeures dans les voies génitales féminines avant d'être capables de féconder. Ce que vous devez savoir, en somme, c'est qu'une sélection a cours dans les spermatozoïdes pendant ce parcours vers l'ovule, mais quand vient le temps de féconder, tout arrive à point à qui sait attendre. Bref, si haut perché que vous soyez dans la vie, sachez qu'il y en a des millions qui se sont sacrifiés pour vous donner cette chance. Telle est la vraie devise de cette course à la fois pour la mort et pour la vie. »

PETITE HISTOIRE DU SPERMATOZOÏDE

Les lois de la reproduction et de l'hérédité ont toujours fasciné l'humanité. Le philosophe, mathématicien et astronome grec Pythagore (490 av. J.-C.) croyait que la semence était une concentration de vapeurs qui descendaient des différents organes du mâle et se concentraient dans ses testicules pour former le sperme. Selon lui, la femme enceinte était uniquement porteuse de la génétique de son mari. De son côté, le grand Aristote (322 av. J.-C.), dont le père était médecin et la mère sage-femme, était persuadé que le sperme était un liquide sanguin particulier, qui contenait la forme du futur bébé, et devait se mélanger au sang menstruel pour donner un fœtus.

Il est impossible d'énumérer le nombre de conneries formulées avant de trouver la vraie réponse à cette question fondamentale. Le vent, les étoiles filantes ainsi que des décoctions de toutes sortes ont été identifiés par les Anciens comme pouvant féconder une femme et donner un bébé. Le philosophe Anaxagore (500 av. J.-C.) aurait même mentionné dans la composition du sperme la présence de cheveux, d'ongles, de vaisseaux sanguins et de matières osseuses. La semence avait, selon ce penseur, une composition chimique similaire à celle du corps humain.

D'autres théoriciens croyaient cette semence originaire de la moelle épinière ou la prenaient tout simplement pour un résidu provenant de la nourriture qu'on avale. Mais encore, au XVIIe siècle, on représentait la partie invisible de l'appareil génital féminin sous forme de pénis interne invaginé. Les ovaires étaient aussi présentés comme des testicules internes, et on enseignait que le sang se transformait en semence dans les testicules.

Il faudra attendre une centaine d'années après la découverte de l'Amérique pour qu'une autre trouvaille d'une importance capitale vienne donner un peu plus d'éclairage sur le sujet. C'est en Hollande, le pays de tous les vices, qu'on lui a vu pour la première fois le bout du nez, ou plutôt le bout de la queue :

vous l'aurez deviné, il s'agit du spermatozoïde. Ce dernier venu a été découvert en 1677 par un marchand de tissus hollandais nommé Antoni Van Leeuwenhoek (1632-1723). Comme c'est souvent le cas dans les grandes découvertes scientifiques, le hasard fait bien les choses. L'objectif premier de Leeuwenhoek, avec le microscope de fortune qu'il venait de bricoler, n'était pas de percer le secret de la vie : Monsieur cherchait plutôt à améliorer le comptage des fibres, dont le nombre par unité de surface était à l'époque un des indices de qualité des étoffes.

L'histoire ne le dit pas, mais je soupçonne qu'un beau jour sa femme est partie en voyage et que le curieux a décidé d'observer sa semence à la place de ses tissus. (Que tous ceux qui n'ont jamais laissé leur travail sur l'ordinateur pour jeter un coup d'œil à une photo un peu osée lui jettent la première pierre !) Une fois le sperme sous l'objectif du microscope, quelle ne fut pas la surprise de notre scientifique en herbe de voir des bibittes hyperactives bouger frénétiquement ! Il pensa alors que c'étaient des animaux microscopiques qui, par on ne sait quel miracle, vivaient dans la semence masculine ; aussi les baptisa-t-il plus tard spermatozoïdes – le mot *sperma* signifiant en latin « semence » et *zoos* réfère à animal, comme dans le mot zoologie qui désigne l'étude des animaux. Encore aujourd'hui, nous parlons de ces fameux animaux de Leeuwenhoek, même si on sait qu'il ne s'agit pas d'une véritable faune. Mais la dénomination s'est frayé un chemin dans le vocabulaire et a réussi à féconder les esprits.

Pendant les deux siècles suivants, les gars ont cherché à comprendre le rôle de ces animaux qui peuplent leurs testicules. On a même cru, sérieusement, qu'il s'agissait de microbes apparaissant dans la semence par génération spontanée.

D'autres ont supposé qu'ils avaient pour tâche d'agiter le mélange des principes mâles et femelles pour favoriser la formation du fœtus; autrement dit, les spermatozoïdes sont à la reproduction ce que le fouet est à la préparation d'une mayonnaise!

PLUTÔT OVISTE OU SPERMATISTE?

Après la découverte du spermatozoïde, deux écoles de pensée se sont affrontées concernant le rôle de la femme et de l'homme dans la conception. Si bien des scientifiques pensaient que le germe était préformé, certains le plaçaient dans les œufs provenant de la femme et d'autres optaient pour le spermatozoïde. Cette conception de la procréation qu'on disait préformiste était ainsi divisée en deux écoles: les *ovistes* et les *spermatistes*.

Pour les *ovistes*, avec comme chef de file l'Anglais William Harvey (1578-1657), le germe du bébé se logeait dans les œufs que la femme cachait quelque part; le sperme avait pour seul objectif de réveiller ce petit être pour que s'enclenche le développement utérin. Au final, selon cette vision, l'homme n'avait aucun rôle fonctionnel dans la fécondation. Embarrassés par les caractères intermédiaires de la mule, les *ovistes* servaient à leurs détracteurs qui leur exhibaient ce contre-exemple des histoires à dormir debout. Ils racontaient, par exemple, que le sperme de l'âne détendait inégalement l'œuf de la jument, et c'est pour cette raison que la mule arborait ce phénotype atypique.

Les *ovistes* étaient les adversaires scientifiques des *spermatistes*. Pour ces derniers, le germe était localisé tout entier dans le spermatozoïde que leur chef de file, Leeuwenhoek, fut le premier à observer. C'est à un collaborateur de Leeuwenhoek, Nicolas Hartsoecker (1656-1725), que l'on doit cette théorie de l'origine spermatique de l'embryon. Hartsoecker figurait le spermatozoïde avec un petit bébé, baptisé homoncule, accroupi dans la tête. Les penseurs de cette école croyaient donc, au contraire des *ovistes*, que la femme n'avait pas une grande contribution dans la formation du fœtus. Évidemment, les plus gros homoncules donnaient des garçons et les petits engendraient des filles – l'inverse aurait été surprenant à cette époque où la phallocratie occidentale était inébranlable.

Entre les *ovistes* et les *spermatistes*, le cœur de l'Église balançait. Par leurs théories saugrenues, les *spermatistes* validaient qu'Ève était née de la côte d'Adam pendant que les *ovistes*, eux, légitimaient que Jésus pouvait absolument naître d'une simple maman. Du reste, l'Église avait une préférence marquée pour la théorie *oviste* qui, aussi, avalisait indirectement que tous les germes de l'humanité étaient déjà présents dans le corps d'Ève.

On imagina même chez les *ovistes* comment les germes étaient emboîtés les uns dans les autres depuis la création du monde. Ainsi, chaque femme est dotée d'ovaires contenant des œufs abritant chacun un petit germe, et dans ces petits germes de sexe féminin, il y a d'autres ovaires miniatures avec des œufs contenant des germes et ainsi de suite. Cette théorie, imaginée par un naturaliste hollandais nommé Jan Swammerdam (1637-1680), proposait ainsi que les germes étaient pareils à des poupées russes. Un peu mystique, Swammerdam pensait même pouvoir expliquer comment une faute commise par notre première mère pouvait se répercuter sur les germes de toute une lignée jusqu'à la fin des temps.

Cette surprenante observation, assez proche du péché originel, était une autre élucubration en faveur de la Bible. Le clairvoyant Swammerdam raconta même que la fin du monde arrivera le jour où le dernier germe emboîté sortira. En passant, l'Église ne pouvait qu'applaudir aussi cette divagation parce qu'elle confirmait que Dieu avait créé tous les êtres vivants qui devaient peupler la terre jusqu'à la fin des temps.

Un des premiers à contester ces théories préformistes et l'existence des homoncules est un penseur français du nom de Pierre Louis Monreau de Maupertuis (1698-1759). Si l'embryon est d'origine uniquement spermatique, lança Maupertuis en 1745, comment se fait-il que le bébé né d'un homme noir et d'une femme blanche soit mulâtre ? Si le préformisme était défendable, normalement, cet enfant devrait être totalement noir ou blanc. Cette question en apparence banale avait secoué les certitudes et poussé les préformistes à envisager la possibilité que la femme et l'homme puissent effectivement avoir tous les deux un rôle actif dans la conception.

Il a fallu attendre 1887 pour qu'Oscar Hertwig et Herman Fol mettent en évidence cette rencontre entre un spermatozoïde et un ovule, union indispensable à la formation d'un embryon. Pour les curieux qui souhaitent savoir où ils sont allés chercher leurs échantillons, je tiens à préciser qu'ils n'ont pas suivi les traces de Leeuwenhoek. Ils ont plutôt travaillé avec des ovules et du sperme d'oursins et d'étoiles de mer. Mais ne me demandez pas de vous renseigner davantage sur la collecte de semence d'oursin. Désolé pour ceux qui adorent les histoires qui ont du piquant.

Plus tard dans l'évolution de la physiologie de la reproduction, quand les scientifiques ont remarqué que sur les millions de spermatozoïdes un seul entrait dans l'ovule, ils se sont demandé aussi pourquoi il y avait autant de gladiateurs pour un seul vainqueur. De cette question légitime naîtra la fameuse course vers l'ovule, cristallisée par Woody Allen dans son film intitulé *Tout ce que vous avez toujours voulu savoir sur le sexe sans jamais oser le demander*. On se souvient tous de la scène montrant un spermatozoïde noir qui se demande ce qu'il fait dans un peloton de blancs. Mais est-ce que cette idée largement répandue du sacre du meilleur sprinter est vraiment fondée ?

JE SUIS UNIQUE, TU ES UNIQUE, IL EST UNIQUE...

La reproduction est une combinaison de hasards qui engendrent des individus uniques. La plupart des étapes de ce rendez-vous, depuis la formation des gamètes jusqu'à leur fusion, obéissent aux lois du hasard. C'est le chemin que la nature a emprunté pour éviter la répétition. Bien sûr, chacun ressemble à ses géniteurs, bien qu'il reste le dépositaire exclusif de certains traits. De fait, la totalité des êtres humains possède les mêmes gènes, sauf que chacun d'eux est susceptible de variations, aussi diverses qu'infimes. C'est ce qu'on appelle le polymorphisme génétique.

Si, pour le présent, ces variations légères n'ont aucun effet notable, elles présentent néanmoins un fort potentiel adaptatif. Supposons que, dans un avenir proche ou lointain, notre milieu de vie subisse des transformations radicales ou qu'un virus mortel menace l'existence même du genre humain. Eh bien, dans ce cas de figure, le génome de certains individus privilégiés sera nécessairement porteur d'un trait particulier assurant la survie de notre espèce. En somme, la nature a imposé ce chemin de croix à nos spermatozoïdes pour que nous soyons aussi différents les uns des autres que peuvent l'être les arbres d'une forêt. Mon grand-père dirait, à ce propos, que si dans une forêt vous croisez deux fois le même arbre, c'est que vous êtes perdu. C'est le même constat pour les humains.

Pour mieux comprendre la course du spermatozoïde, où la chance et la combativité sont les deux gages de succès, je vous propose ce concept de téléréalité qui s'intitule *Qui réussira à séduire la belle ?* Voici le synopsis. Une belle princesse (l'ovule) vit recluse dans une tour. Comme il fallait s'y attendre, des millions de prétendants partent à l'assaut de la forteresse dans l'espoir de devenir son unique sauveur et gagner son cœur. Seulement, dans cette mise en scène, le château est un parcours du combattant où toutes les étapes sont atrocement mortelles. Vous pouvez mourir noyé dans l'acide, vous perdre dans les dédales du château et devenir la proie de dragons cracheurs de salive mortelle. Vous pouvez aussi tout simplement prendre le mauvais chemin et mourir, épuisé, dans des contrées sauvages et inexplorées de la forteresse, sans avoir vu la princesse.

RÉCIT ÉPIQUE D'UN DÉBARQUEMENT

Imaginez le stress de ces pauvres soldats cellulaires quand la stimulation surgit à l'autre bout du pénis. Ils savent qu'ils vont sortir, mais ne connaissent absolument rien du territoire qui s'étend par-delà le gland. Finiront-ils dans un flacon congelé à -196 degrés Celsius ? Pousseront-ils leur dernier souffle dans l'obscurité acide du vagin ? À moins qu'ils ne disparaissent tragiquement dans le tourbillon d'une toilette. Bref, le voyage d'un spermatozoïde, c'est un aller simple vers le grand jamais vu. Et ce sentier pour l'extermination continue d'intriguer les scientifiques. Certains biologistes pensent que ce massacre à l'échelle microscopique est une façon de sélectionner les meilleurs éléments pour la fécondation de l'ovule. D'autres avancent une hypothèse qui relève plutôt de la riposte féminine. Selon eux, l'acharnement des globules blancs envers les spermatozoïdes s'explique en partie par le fait que la semence de plusieurs mammifères, dont l'humain, comporte des éléments qui diminuent les capacités immunitaires de leur femelle. Et cette subversion, la défense de Madame la prend très au sérieux, elle qui mobilise ses patrouilleurs pour rendre la monnaie de leur pièce aux spermatozoïdes. « Endormez nos troupes avec vos armes chimiques et nous vous massacrerons jusqu'au dernier », telle serait la devise des cellules immunitaires de la femme après une éjaculation.

Figurez-vous qu'une éjaculation est un débarquement militaire contenant autant de soldats que la population combinée du Canada et des États-Unis. Le chemin qui mène les spermatozoïdes à l'ovule les conduit tout droit vers un massacre. Sans se faire avertir, ces cellules mâles sont expulsées du pénis à grande vitesse pour tomber dans la chaleur intense et l'acidité mortelle du vagin dont le pH varie entre 3,5 et 4. Malheureusement, les spermatozoïdes, qui sont plus paresseux dans un environnement acide, tombent dans le piège. Si le vagin est un territoire aussi hostile, c'est pour se protéger des envahisseurs microbiens. Forcément, puisqu'ils sont perçus comme tels, on traite les spermatozoïdes comme de malveillants pathogènes. Ainsi, leur temps est compté : jusqu'à 90 % d'entre eux sont agonisants ou carrément morts dans les parois vaginales après quelques minutes seulement. Ils doivent à tout prix quitter cette zone de sinistre pour atteindre illico la glaire cervicale, une tranchée un peu plus hospitalière qui sépare le vagin de l'utérus.

À cause des faibles concentrations d'œstrogènes, elle est, pendant une grande partie du cycle menstruel, imperméable aux spermatozoïdes. Un débarquement en cette période se traduit alors toujours par une hécatombe. Ce n'est donc qu'aux environs de l'ovulation que les concentrations élevées d'œstrogènes ouvrent le passage aux spermatozoïdes. Pendant cette période de réceptivité, la glaire nourrit les combattants et leur fournit l'énergie nécessaire pour atteindre l'utérus. Mais malgré ces effets protecteurs, sur les 300 millions de spermatozoïdes, seuls quelques milliers réussissent à conquérir le col de l'utérus, qui a aussi une fonction sélective : il barre la route du mieux qu'il peut aux spermatozoïdes anormaux, qui peuvent constituer de 18 % à 40 % du contingent d'un éjaculat. Les nouvelles techniques d'observation des spermatozoïdes semblent même confirmer que le pourcentage de soldats avec des défauts de fabrication est beaucoup plus important dans un éjaculat. Ceux qui sont munis de deux flagelles, qui en sont dépourvus ou encore qui charrient des têtes surdimensionnées périront avant de voir l'utérus.

Après l'hécatombe vaginale et l'opération de tamisage, les survivants s'engagent dans la périlleuse traversée de l'utérus, qui est pareil à un grand désert gardé par de redoutables tanks : les macrophages. Ces cellules immunitaires, gardiennes de la sécurité de la femme, traquent les spermatozoïdes et les charcutent, comme elles le font d'ailleurs avec les microbes. Heureusement, dans leur marche vers l'ovule, les spermatozoïdes peuvent compter sur les contractions des muscles utérins. Les survivants qui franchissent l'utérus ont donc intérêt à garder le cap s'ils veulent arriver entiers à l'ovule. Les risques d'entrer dans la mauvaise trompe utérine ou d'être piégés dans de sombres recoins demeurent élevés. Si l'ovulation a lieu dans la trompe gauche, de vaillants combattants peuvent se retrouver dans la trompe droite et finir comme buffet pour macrophages. Pourtant, les spermatozoïdes sont équipés d'une sorte de GPS interne placé dans leur flagelle qui leur facilite le déplacement vers l'ovule.

Pour les quelques dizaines qui ont emprunté la bonne sortie et qui avancent sur la route des trompes de Fallope, c'est le début du beau temps. Ils trouveront dans cette station balnéaire quantité de nutriments, un pH parfait et de la protection. On peut même y paresser plusieurs heures. La température y est d'ailleurs un peu plus élevée que dans l'utérus et les spermatozoïdes adorent ce climat presque tropical qui les revigore, les rend hyperactifs et les prépare au dernier assaut. N'oublions pas que, si l'ovule est là, il émet toujours ses signaux moléculaires en direction des vaillants prétendants. Fait étonnant, l'ovule est au moins 4 000 fois plus gros que la tête d'un spermatozoïde et, malgré cela, les représentants de la masculinité ont besoin de signaux pour le localiser. Des fois, quand je demande à ma femme où se trouve le lait dans le frigo et qu'elle me répond qu'il est devant mes yeux, je me dis alors que les hommes ont les mêmes défauts que leurs cellules paternelles ! À quand les pintes de lait émettrices de signaux ?

Dans la longue et périlleuse course vers l'ovule, le trajet est aussi important que la destination. Les spermatozoïdes y subissent un ensemble de changements qui les rendent aptes à féconder. Induites par les voies génitales féminines, ces réactions de capacitation, comme on les nomme, donnent l'impression que les spermatozoïdes enlèvent des vêtements, les uns après les autres, au fur et à mesure qu'ils approchent du lieu de rendez-vous. À l'orée de l'ovule, le gentleman doit également retirer son «chapeau», appelé l'acrosome, qui cache ses ultimes atouts. Une amie biologiste, encore amère d'une récente mésaventure, disait que si les spermatozoïdes ont la politesse d'ôter leur chapeau avant d'entrer, j'en connais qui devraient prendre exemple sur eux au lieu de pénétrer dans une jolie maison avec leurs bottes sales et passer au lit avec leurs chaussettes.

Sitôt énergisés, les spermatozoïdes repartent à l'assaut de l'ovule, qu'ils soient leaders, *suiveux* ou chanceux. Car, contrairement à la croyance populaire, nous sommes peut-être le fruit d'un individu nonchalant qui a simplement mis beaucoup de temps à se rendre à l'ovule. Si le meilleur devait toujours gagner cette course, la génétique humaine tendrait vers la perfection. Or, ce n'est pas au plus fort la poche. À preuve, nous avons encore beaucoup de maladies génétiques portées par les chromosomes sexuels qui passent d'une génération à l'autre.

Du fait que la nature n'a pas de code de classification des spermatozoïdes, il existe une incroyable diversité chez les bébés humains. Si une maladie génétique est portée par le chromosome Y, les spermatozoïdes portant le chromosome X devraient être la meilleure solution pour le couple. Ce n'est pas toujours le cas. La nature aime la diversité et serait probablement contre toutes ces pratiques de sélection des naissances, devenues presque banales aujourd'hui.

En fait, si elle pouvait sermonner les humains, elle dirait : « Vous avez toujours cherché à contrôler les phénomènes aléatoires de la reproduction. Aujourd'hui, on peut acheter l'ovule d'une *top-modèle* ou les spermatozoïdes d'un Nobel avant de commander une fécondation in vitro et de loger le tout dans un utérus de location. Une mère donneuse, une mère porteuse et une mère de famille. Pourquoi ne pas opter pour une solution plus simple : l'adoption ? Ce ne sont pas les enfants beaux, intelligents, sensibles et qui cherchent à être aimés qui manquent sur cette planète. Se faire faire un bébé à la carte est devenu un jeu d'enfant dans vos sociétés.

« J'avoue que ces supposées avancées de votre science m'inquiètent parce qu'elles tendent à supprimer les enfants différents. Il y a un danger à vouloir décanter ce que j'ai mis des millions d'années à agiter. Chaque fois qu'il vous prendra l'envie de vous débarrasser de cette diversité que vous jugez déficiente, dites-vous plutôt que j'ai caché des trésors à des endroits improbables. Ceux que vous appelez les handicapés mentaux sont parfois des perles cachées dans leurs coquillages, au fond de la mer. Et il ne tient qu'à vous de plonger dans cette eau trouble, de les faire sortir de leur coquille pour les présenter à la face du monde, au grand soleil. Ces perles brilleront alors de tous leurs feux et vous dévoileront leur raison d'exister. Et sans doute aussi la vôtre. Une mauvaise herbe n'est rien de moins qu'une plante dont vous n'avez pas encore trouvé les vertus. Comme le dirait un grand-père bien connu : "Il serait sage de bien sarcler avant d'opter pour tous ces herbicides au service de la monoculture."»

LE NOMBRE ET LA QUALITÉ DES SOLDATS

Le chemin qui mène les spermatozoïdes à l'ovule n'est pas une randonnée pépère. Des millions de combattants qui prennent le départ, seuls quelques dizaines arriveront à l'ovule ; bref, le taux de mortalité reste très élevé. Par conséquent, lorsqu'une éjaculation ne contient pas suffisamment de spermatozoïdes, les chances d'obtenir un nombre critique de survivants pour assurer la fécondation à la fin du parcours s'amenuisent. Un sperme normal contient en moyenne 100 millions de spermatozoïdes par millilitre. En bas de 20 millions par millilitre, la fertilité du propriétaire est problématique. Cette faible concentration est, en effet, incompatible avec un nombre suffisant de survivants à l'arrivée. Malheureusement, à cause de la pollution, du tabagisme et de toutes les cochonneries que nous mangeons, nos valeureux guerriers microscopiques ne sont plus aussi nombreux et vigoureux que ceux de nos ancêtres.

Depuis 50 ans, en Occident, le volume moyen d'éjaculation a diminué de 20 % ; même chose pour le nombre moyen de spermatozoïdes par millilitre. Comble de malheur, la qualité des soldats a aussi subi les assauts de la modernité.

UNE USINE TRÈS PRODUCTIVE

Avis aux amoureux des chiffres, ce passage est pour vous. Le sperme est constitué principalement de spermatozoïdes englués dans un liquide nutritif de transport sécrété à 20 % par la prostate, à 20 % par l'épididyme et à 60 % par la vésicule séminale. Un spermatozoïde mesure 50 micromètres, ce qui représente le dixième de l'épaisseur d'un ongle humain. Environ 90 % de la taille du spermatozoïde est constituée par son flagelle dont l'énergie de propulsion provient de la combustion de molécule de fructose. Une éjaculation contient en moyenne 2 à 6 millilitres de sperme et entre 150 et 500 millions de spermatozoïdes. Quotidiennement, les testicules fabriquent en moyenne entre 50 et 100 millions de spermatozoïdes, et il faut 64 à 72 jours pour qu'un spermatozoïde atteigne la maturité. Lorsqu'ils sont fin prêts pour l'attaque, ces éléments matures quittent la base testiculaire et migrent vers les casernes : ils sont poussés et stockés dans le canal déférent et l'épididyme. Ils sont en quelque sorte promus au rang de réservistes en attente de mission nationale. Avant d'être stockés dans ces zones de transit, tous les liquides de transport sont réabsorbés. C'est principalement pour cette raison que la vasectomie n'entraîne pas d'accumulation de liquide en amont de la ligature.

BESOIN D'UN COUP DE MAIN ?

Si la fécondation est compromise par une trop faible concentration ou un manque de mobilité de spermatozoïdes dans la semence, par l'obstruction des trompes de Fallope, etc., la science offre une panoplie d'options. L'insémination artificielle permet de transporter les spermatozoïdes le plus proche possible du lieu de résidence de l'ovule, dans les trompes. Les chanceux échappent alors à l'acidité et aux cellules du système immunitaire qui les déciment en temps normal. Au cas où les tentatives d'insémination artificielle sont vaines, il reste la fécondation in vitro conventionnelle. Ici, la femme est traitée avec des hormones pour produire des ovules qui seront recueillis et mis en présence de spermatozoïdes préalablement sélectionnés. Pour cela, le sperme est centrifugé et les meilleurs éléments sont ensuite bien nettoyés avant d'être mis en présence de quelques ovules dans des tubes en verre. Mon grand-père dirait que le succès de chasse est bien plus facile quand les bêtes sont enfermées dans un enclos. Les ovules fécondés sont alors implantés dans l'utérus. Il existe enfin une autre possibilité de fécondation qui consiste à insérer les spermatozoïdes dans une pipette pour les placer dans l'ovule par micro-injection avant de les implanter dans l'utérus. Ne reste plus qu'à prier pour que tout ce beau monde s'accroche et se développe.

LES PLAISIRS SOLITAIRES ET LE « GASPILLAGE » DU SPERME

En 1775, à Londres, un ouvrage intitulé *Onania* faisait sensation. Son auteur, Samuel Auguste Tissot, y étalait les dommages et atrocités qui guettaient les adeptes des plaisirs solitaires. Son argumentaire était si convaincant que Tissot se positionnera comme l'ultime référence de deux siècles de répression de la masturbation. Selon ce « lucide », le plaisir solitaire mène indubitablement le corps et l'âme à leur déchéance. Chaque va-et-vient de la main sur le génital est un pas de plus vers la tombe. On croyait à cette époque que le sperme était un liquide vital dont le gaspillage affaiblissait le corps, le rendait *de facto* vulnérable à la maladie. Longue était la liste des affections liées au gaspillage volontaire de la semence humaine. Évidemment, la surdité arrivait en tête et, avec elle, la cécité, l'impuissance et la folie. Ce mythe était si tenace qu'en 1961, un sondage effectué dans cinq facultés de médecine indiquait encore que la moitié des étudiants croyaient que la masturbation pouvait provoquer des maladies mentales. Il faudra attendre jusqu'en 1972 avant que l'Association médicale américaine finisse par attester que s'adonner au plaisir solitaire est un comportement normal et inoffensif.

De toutes ces fausses croyances, il est étonnant que le lien entre la surdité et la masturbation ait aussi bien traversé les siècles jusqu'au nôtre. Pourtant, comme le disait l'autre, si la masturbation rendait sourd, les vendeurs d'appareils auditifs seraient plus riches que les pétrolières. Au XIXe siècle, les médecins et autres charlatans avaient tous leur méthode pour prévenir ce vice chez les adolescents. Par exemple, on recommandait de laver les parties intimes du garçon avec de l'eau très froide – méthode à première vue peu efficace puisque le réflexe naturel est de les réchauffer en les frottant, ce qui provoque un autre réflexe tout aussi naturel. De plus, on empêchait l'enfant de grimper aux arbres en embrassant étroitement le tronc – comme pour prévenir de faire couler la sève. Enfin, il ne fallait pas non plus permettre aux enfants de faire galoper une jument – comme pour prouver qu'à cette époque, on était à cheval sur les principes !

Plus tôt dans l'histoire de l'humanité, des pharaons d'Égypte ancienne croyaient que le flux et le reflux du Nil étaient engendrés par les éjaculations du dieu Atoum. Le pharaon, qui était le représentant des dieux dans le monde des vivants, prenait alors le temps de se masturber, les pieds dans l'eau du fleuve, et le gratifiait de sa semence. C'était une façon de s'assurer que ce fleuve, qui faisait dire à Hérodote que l'Égypte était un don du Nil, ne tarirait jamais. Pas de doute, ces pharaons avaient le croissant fertile ! Heureusement qu'aujourd'hui, les techniques d'ensemencement des rivières ont évolué. Les biologistes n'auraient pas fourni. Voilà une découverte qui a dû faire rougir plus d'un égyptologue.

La masturbation est pratiquée par presque tous les mammifères, particulièrement les primates. Les dauphins et les porcs-épics se masturbent eux aussi ! Pour les porcs-épics, je peux comprendre leur préférence pour les plaisirs solitaires. Faire l'amour doit être pour eux une aventure épique! Un mélange d'acupuncture et de sadomasochisme.

Se prendre en main est une meilleure façon de faire l'amour avec quelqu'un qu'on aime vraiment. En plus, pas besoin de respecter un rituel quelconque. Les femmes jouissent beaucoup plus vite en solitaire. En moyenne, les hommes jouissent au bout de trois minutes et les femmes au bout de treize minutes. Il y a donc un (long) dix minutes où l'homme doit se dévouer à sa femme. C'est ce qu'on appelle le devoir conjugal.

COUPER LE CANAL FAMILLE

Chez un homme «tranché», les spermatozoïdes continuent d'emprunter le chemin habituel jusqu'à ce qu'ils butent sur la ligature ou, comme on dit au Québec, jusqu'à ce qu'ils «frappent un nœud». Ils mourront et leurs carcasses seront dévorées et recyclées par les cellules immunitaires. Après la vasectomie, il faut un certain temps avant que les spermatozoïdes soient éliminés des canaux. Après ma propre vasectomie, le médecin m'a souhaité bonne chance en ajoutant : « Il arrive, Monsieur Diouf, que les bouts de tuyaux sectionnés cherchent quand même à fusionner pour ouvrir à nouveau le passage aux spermatozoïdes. » J'ai quitté la clinique en me disant que les ingénieurs qui construisent nos ponts ont beaucoup à apprendre de leur scrotum. Je suis parti plus convaincu que jamais de la puissance de notre instinct de reproduction. Cette information m'a permis de mieux comprendre le rapport d'aversion que certains hommes entretiennent avec la vasectomie.

Un de mes copains, qui résiste depuis quelques années aux salves de sa blonde pour se faire couper, m'a demandé des conseils. Comme pour la grande majorité des gars, le simple fait de parler de vasectomie faisait passer son visage à une teinte qui s'approche de la couleur saumon. Un jour, alors qu'il se demandait pourquoi cette angoisse était si profonde chez lui, j'ai essayé de le raisonner : « Je pense, François, que l'idée de se faire couper le canal famille, comme on entend souvent dire au Québec, éveille chez bien des hommes une peur très primitive. Peut-être même une expression proche de cette angoisse de la castration dont parlait Freud. Mais la meilleure explication que j'ai entendue sur le sujet est celle de Caroline, ma blonde. Elle trouve que la vasectomie nous inquiète parce qu'elle fait baisser la cote d'un homme auprès des jeunes femmes.

« C'est pour ça qu'un peu comme le paon s'accroche à ses plumes chatoyantes pendant les parades nuptiales, la plupart des gars vont à reculons chez l'urologue.

« Même quand les enfants grandissent et que la décision de ne plus en avoir est bien partagée, il arrive que le subconscient masculin rejette cette stérilisation qui lui fait perdre du lustre auprès des femmes qui veulent se reproduire. Un homme vasectomisé est un peu comme une voiture d'occasion bien entretenue, mais dont une égratignure sur le capot diminue la valeur marchande. Les plus optimistes aiment bien voir dans cette opération la transformation d'une familiale en voiture sportive ou récréative.

« D'ailleurs, les urologues vous diront que lorsqu'un homme qui s'est déjà fait vasectomiser se présente pour essayer de se faire recanaliser et rouvrir le chemin à ses spermatozoïdes, c'est souvent parce qu'il a rencontré une jeune femme qui lui exige un petit tour chez le débosseleur avant de lui redonner sa pleine valeur.

« Les véritables victimes de la vasectomie, ce sont les spermatozoïdes qui ont la surprise de frapper un nœud pendant leur voyage. Cet aboutissement inattendu dans un cul-de-sac me rappelle la fermeture inattendue d'un pont. Quand, sans avertir, les policiers ferment un pont, pendant que les automobilistes qui doivent rebrousser chemin sacrent, ceux qui sont déjà de l'autre côté célèbrent leur coup de chance. C'est le même scénario qui se produit avec les spermatozoïdes après une vasectomie, François. Malgré l'opération, les soldats qui étaient déjà en amont de la ligature, bien à l'abri du danger, peuvent encore espérer aller à la chasse à l'ovule, et il faut les éliminer entièrement avant d'être stérile.

« Pour ce faire, François, les urologues recommanderont une quarantaine d'éjaculations dans les trois mois suivant la vasectomie. Cette exigence étant très déstabilisante pour Madame, c'est peut-être le bon moment pour lui demander de sortir son costume d'infirmière sexy pour assurer de main de maître le suivi médical. Si elle ne veut pas, montre-lui la prescription. De grâce, n'essaye surtout pas de te faire soigner dans une clinique privée, cela pourrait entraîner de graves effets secondaires à ton mariage.

« Tout ça pour dire que tu devrais suivre les conseils de ta blonde, François ! Se faire couper les canaux déférents, c'est assez anodin comparé à vingt ans de prise d'anovulants. Une quinzaine d'années à se protéger de tes munitions contre quinze minutes sur la table d'opération, telle sera ta maigre part dans la contraception.

« Comme disait l'autre, ça fait des décennies que les femmes se protègent contre les impacts de nos balles. Le temps est venu de faire notre part et d'accepter de vider les chargeurs. Allez, mon François, on se grouille pour prendre un rendez-vous ! »

LA REVANCHE DE JOYCELYN ELDERS

Joycelyn Elders était la première femme noire à atteindre l'un des postes les plus prestigieux de l'administration américaine : l'équivalent de notre ministre fédéral de la Santé. Choisie et nommée par Bill Clinton en 1994, Joycelyn Elders affirmait quelques mois plus tard à San Francisco, lors de la journée mondiale sur le sida, que la masturbation faisait partie de la nature humaine et devrait être abordée dans les cours d'éducation sexuelle à l'école. Des propos bien sensés qui ne tardèrent pourtant pas à provoquer une levée de boucliers dans les milieux conservateurs de cette Amérique bourrée de contradictions.

Désireuse d'éteindre le feu, l'administration Clinton décida de la congédier sans savoir que la revanche était déjà en route. La pauvre Joycelyn était chez elle quand les télévisions du monde entier parlaient de la relation illicite entre Bill Clinton et Monica Lewinsky. On déblatérait sur la fameuse souillure trouvée sur un vêtement de Bill qui trompait sa femme dans les recoins de la Maison-Blanche. Le président qui avait joué le jeu des puritains traîne aujourd'hui une tache dans son dossier.

KELLOGG : *THE TURN OFF CEREAL*

John Harvey Kellogg (1852-1943), docteur et penseur américain, a aussi laissé des traces indélébiles sur les pages de l'histoire par ses certitudes sur la sexualité. En plus d'être l'un des fondateurs de la célèbre marque de céréales, Kellogg a publié plusieurs ouvrages, dont un qui traite du contrôle de la sexualité, surtout chez les jeunes célibataires. Ce bouquin, intitulé *Plain Facts for Old and Young* (1877), présente entre autres une série de recommandations sur les saines habitudes de vie, principalement sur la santé sexuelle. Le docteur Kellogg faisait aussi une fixation sur le système digestif et croyait aux bienfaits de l'irrigation du côlon avec de l'eau et du yaourt. Vous pouvez visionner le film humoristique *Aux bons soins du Dr Kellogg* pour plus d'informations sur cette médecine insolite.

Kellogg était convaincu que la consommation de viande stimulait les ardeurs sexuelles, lesquelles sont particulièrement néfastes pour la santé, selon lui. Dans les faits, il cherchait plutôt à contrer le vice que représentait la masturbation dans cette Amérique puritaine. À la fin du XIXe siècle, il fit la connaissance de Sylvester Graham, un évangéliste de la Nouvelle-Angleterre qui prêchait qu'une alimentation végétarienne pouvait réduire les pulsions sexuelles et, ainsi, éloigner les jeunes hommes du petit péché solitaire. C'est le vieux truc de la carotte et du bâton : plus tu manges de carottes, moins tu tâtes du bâton !

C'est à cette fin « curative » que le docteur Kellogg se lança dans la fabrication d'une céréale. Après vingt ans de recherche, il finit par développer une céréale appelée granola. Quelques années plus tard, son frère, Will Keith Kellogg, eut l'idée d'ajouter du sucre à la recette et les Corn Flakes voyaient le jour. Si votre femme insiste tous les matins pour que vous preniez un bol de ces céréales, c'est probablement parce qu'elle connaît cette histoire.

Le docteur Kellogg conseillait également aux couples de modérer la fréquence des galipettes sous la couette : il ne faut pas dépasser un rapport sexuel par mois, d'après lui. Et aux célibataires de moins de 25 ans, c'est l'abstinence totale, point à la ligne. Dans ses séminaires et conférences, il racontait à qui voulait l'entendre que la masturbation avait des effets néfastes sur la santé physique, mentale et morale. Il reconnaissait le plaisir solitaire capable de causer jusqu'à 31 maladies. Aujourd'hui, à part la tendinite, on cherche toujours quelles sont les autres.

La masturbation était si dangereuse aux yeux de Kellogg qu'il la décrivait comme une façon de se pendre avec sa propre main. Aussi proposait-il des remèdes, plus loufoques les uns que les autres, pour contrôler le mouvement de cette main tueuse ; citons la circoncision des garçons sans anesthésie et l'application d'acide sur le clitoris des jeunes filles. Ces souffrances prolongées aideraient, selon l'auteur, à oublier temporairement le plaisir solitaire. Le docteur Kellogg proposait même de poser des bandes de pansements aux mains des adolescents pour les rendre inutilisables quand ils entendent l'appel de la nature. Et, pour les plus récalcitrants, il recommandait le port de petites cages semblables à des ceintures de chasteté. Il n'y a pas à dire, Madame Kellogg devait parfois trouver le temps long !

QUAND LE COCA-COLA TUAIT LES SPERMATOZOÏDES

La célébrissime marque de boisson gazeuse américaine a un lien historique avec la sexualité humaine. Pour mieux comprendre comment, il faut remonter à sa création. Le Coca-Cola a été créé par John Stith Pemberton, un officier retraité de l'armée américaine. C'est en 1886, à Atlanta en Géorgie, que l'ancien militaire reconverti en pharmacien a mis au point la première recette de la boisson devenue aujourd'hui la plus célèbre de la planète. Pourtant, tout au début de sa création, le Coca-Cola n'a pas eu beaucoup de succès. Dans la recette originale demeurée secrète, les spécialistes pensent qu'on trouvait entre autres des feuilles de coca et de la noix de kolatier. La noix, appelée aussi kola, est connue des Africains pour ses propriétés stimulantes et énergisantes. En plus de l'Afrique, la kola est aussi consommée au Brésil et en Indonésie. À cause de sa teneur élevée en caféine et autres alcaloïdes stimulants du système nerveux, dont la kolatine et la kolatéine, la consommation régulière de kola peut causer la dépendance. J'ai personnellement vu ma grand-mère tomber dans une déprime parce que le *dealer* de kola était à sec. Elle était si en manque que, privée de ses dents à la fin de sa vie, elle nous sommait de frapper la noix de kola pour qu'elle puisse avaler sa dose.

Dans la tradition de bien des groupes linguistiques ouest-africains, il est aussi coutume, pour demander la main d'une fille, d'envoyer un commando armé de trois noix de kola. Si la fille accepte les trois noix, c'est qu'elle est intéressée. Un peu comme un toxicomane vendrait son âme pour avoir sa dose, un drogué à la kola n'hésite pas à pousser sa fille dans les bras d'un autre pour trois graines de ce stimulant, que la principale intéressée soit stimulée ou non par son futur époux. Comme quoi, bien avant le Coca-Cola qui en contient, les Africains de l'Ouest avaient compris qu'il y a un lien entre la noix de kola et les liaisons amoureuses. En vérité, cette pratique culturelle est plus symbolique et n'a rien à voir avec une dépendance quelconque.

Dans la recette originale de John Stith Pemberton, l'inventeur du Coca-Cola avait breveté sa boisson comme un remède efficace contre les troubles nerveux, même qu'il l'écoulait dans le réseau des pharmacies. Comme les ventes peinaient à décoller, Monsieur Pemberton attribua d'autres vertus à sa boisson. En plus de soigner les problèmes gastriques, le Coca-Cola était selon lui capable de régler les problèmes d'impuissance. Il faut dire que comme bien d'autres boissons de l'époque, le Coca-Cola devait aussi contenir de la cocaïne dans sa recette originale, une drogue extrêmement stimulante, faut-il le rappeler.

Le Coca-Cola a connu ses heures de gloire après la vente des droits de fabrication à un homme d'affaires américain d'origine irlandaise nommé Asa Griggs Candler. Le nouveau propriétaire a alors remis en cause les vertus thérapeutiques de la boisson avant de la sortir des pharmacies et d'en faire la « boisson du peuple », qu'elle est encore aujourd'hui. C'est aussi Asa Griggs Candler qui, forcé par la pression populaire, décida de retirer les feuilles de coca de la recette originale et de rejeter les supposées efficacités de la boisson contre l'impuissance. Mais cela n'a pas empêché le Coca-Cola de revenir hanter la sexualité américaine dans les années 1950 et 1960.

On ne sait pas comment est né le mythe, mais le bruit s'est mis à courir dans les universités américaines qu'une douche vaginale postcoïtale de Coca-Cola pouvait décimer les spermatozoïdes d'un éjaculat en quelques minutes et, évidemment, annuler la fécondation. Plus besoin de condoms, seulement d'une bouteille de cola. Voici la posologie, à l'usage des femmes seulement : après l'éjaculation, levez-vous rapidement, agitez la petite bouteille, ouvrez-la puis appliquez immédiatement le goulot à l'entrée du vagin ; laissez le geyser de bulles remonter ; le Coca-Cola anéantira alors les spermatozoïdes avant qu'ils franchissent le col de l'utérus. S'il fallait procéder rapidement après l'éjaculation, c'est que quelques minutes après leur expulsion, les spermatozoïdes les plus véloces peuvent déjà aboutir de l'autre côté du col utérin, à l'abri du jet de boisson gazeuse. Bien avant l'invention de la pilule du lendemain, certains jeunes Américains utilisaient donc les pouvoirs spermicides du Coca-Cola pour mieux célébrer l'amour libre.

Cette méthode de contraception baptisée *shake and shoot* reposait sur une réflexion pseudo-scientifique voulant que, mélangé au sucre, l'acide carbonique de la boisson avait des propriétés spermicides. La pratique s'est perpétuée si longtemps qu'en 1985, Deborah Anderson, professeure de gynécologie-obstétrique et de microbiologie à l'Université Harvard, à Boston, décida d'analyser le Coca-Cola dans son laboratoire pour traquer des preuves scientifiques sur le sujet. En mixant des spermes avec du Coca-Cola, la chercheuse trouva à sa grande surprise que la boisson disposait effectivement de propriétés spermicides. Elle découvrit même que le Coca-Cola diète et le régulier étaient les plus impitoyables envers les spermatozoïdes. Conséquence fâcheuse, ces résultats allaient transformer une croyance empirique en dogme scientifique et faire bondir l'utilisation postcoïtale du Coca-Cola dans les résidences universitaires.

Heureusement, quelques années après l'étude de Deborah Anderson, une expérience similaire réalisée à Taïwan est venue nuancer les résultats. Constat principal : le plus efficace des colas immobilisait moins de 70 % des spermatozoïdes d'un éjaculat, ce qui rendait la méthode de contraception pour le moins douteuse. Qui plus est, comme les Taïwanais avaient trouvé qu'il ne fallait pas moins d'une heure de contact entre la boisson et les spermatozoïdes pour atteindre ce taux de mortalité, la simple douche postcoïtale de quelques minutes devait logiquement laisser beaucoup moins de soldats sur le champ de bataille. L'étude concluait enfin qu'en plus de son inefficacité contraceptive, cette méthode pouvait faire courir le risque aux utilisateurs d'attraper des infections génitales.

Que reste-t-il de cette époque où le Coca-Cola faisait office de contraceptif ? Un prix Ig Nobel remis à Deborah Anderson, en 2008. Ces prix, qui sont des parodies des vrais prix Nobel, récompensent des scientifiques que la curiosité a poussés jusqu'aux limites du ridicule. Maintenant, quand vous aurez une bouteille de Coca-Cola dans la main, bien des images vous traverseront l'esprit. J'espère que vous m'en excuserez.

Chapitre 6

L'OVULE OU L'OVOCYTE

« Anthony, pour un spermatozoïde, téméraire petit cosmonaute, l'ovule est la planète à explorer, la seule terre hospitalière pouvant l'accueillir et le sauver. Tapi aux confins du monde, l'ovule a lui aussi besoin de ce valeureux explorateur pour survivre. Quand le cosmonaute se pose enfin à sa surface, c'est un petit pas pour l'homme et la seule option pour l'humanité. L'ovaire, lui, est une galaxie. Au cours de son existence, quatre cents planètes, quatre cents petites Terres pourront changer le cours de la vie. La plupart d'entre elles resteront inhabitées, bien sûr. Mais le ciel n'en sera pas moins joli. Si nous sommes vivants, toi et moi, si nous occupons l'espace aujourd'hui, si nous pouvons apprécier le soleil et admirer les étoiles, c'est qu'à un moment, deux mondes ont fusionné. Deux mondes totalement opposés. La biologie n'explique pas tout, Anthony. Les religions non plus. Heureusement. Si, maintenant, nous en savons un peu plus sur l'ovule, tout comme sur la planète Terre, il nous reste encore bien des contrées à explorer. Heureusement. »

OVULE OU ŒUF

Si l'ovule est invisible à l'œil nu, celui des oiseaux est remarquable. (Et même délicieux !) Car le jaune d'œuf de poule est un ovule. En fait, les œufs des oiseaux, dont les poules, les canards, les dindes, les autruches et les émeus, sont les plus gros ovules du monde animal. Celui-ci est constitué du jaune et d'une partie plus discrète appelée le disque germinatif. Se présentant sous forme d'une légère dépression à la surface du jaune, il est la cible des spermatozoïdes. Pour les curieux, la fécondation a lieu avant que le blanc se dépose autour du jaune et que la coquille se forme. Et, entre la fécondation de l'ovule et la formation puis la ponte, il faut une vingtaine d'heures. Une poule bien féconde pond habituellement un œuf par jour. Les spermatozoïdes du coq, eux, peuvent survivre une dizaine de jours dans la poule – par comparaison, ceux de l'homme rendent l'âme au bout de six jours dans le système reproducteur féminin. En somme, la nature dote la poule d'une grande autonomie, elle qui réussit à se passer du coq pendant une dizaine de jours. Dans ces cas, le mâle n'a d'autre choix que de se requinquer le caquet et d'aller faire le paon devant une autre poulette de son harem. La nature fait bien les choses.

JE SERAI LA PLUS BELLE

L'ovaire, c'est la maison familiale des futurs ovules. Et tant et aussi longtemps qu'il n'est pas fécondé par un spermatozoïde, l'ovule s'appelle un ovocyte. Celui-ci est recouvert d'une structure qu'on appelle un follicule. Récapitulons avant d'aller plus loin. Dans chaque ovaire, il y a des follicules et dans chaque follicule se trouve un ovocyte qui deviendra peut-être un ovule fécondable s'il remporte le concours.

Imaginons en effet que la maison-mère, l'ovaire, organise un concours et décide qui aura droit de sortie. C'est un concours mensuel, rappelons-le. Une vingtaine de follicules immatures contenant chacun un ovocyte posent leur candidature. Grâce au travail des hormones, les follicules entament leur développement et gagnent en poids et en complexité. Au bout de quelques jours de compétition, un follicule dominant est retenu tandis que les autres disparaissent. Les hormones activent alors l'endomètre, c'est-à-dire la paroi de l'utérus, et offrent une toute nouvelle tapisserie pour accueillir convenablement le grand gagnant. Que fait une femme quand elle débarque dans un nouvel appart ou une nouvelle maison? Elle repeint les murs et fait sa déco! Comme quoi les ovules prennent les plis de leur propriétaire!

Pourquoi tel follicule plutôt qu'un autre? Difficile de le savoir. Certains scientifiques pensent qu'on couronne le follicule qui croît le plus rapidement au sixième jour du cycle. J'aime imaginer un concours de «Miss» où bien des candidates sont appelées et se livrent une solide compétition, mais où une seule coiffera la couronne. Pourquoi cette métaphore royale? Parce qu'en quittant l'ovaire, Miss Ovule emporte avec elle des cellules nourricières qui, en plus de la sustenter, la protègent et gèrent ses liaisons avec le milieu environnant. Certaines de ses «suivantes» forment une couronne autour de la belle que les physiologistes ont poétiquement baptisée la couronne radiaire ou *corona radiata*. Il était donc une fois une reine et sa couronne.

UNE PRINCESSE QUI SE LAISSE CONVOITER

L'ovule est une princesse qui se laisse désirer et courtiser par des chevaliers microscopiques. Quand il se détache de l'ovaire, il s'installe immédiatement dans les trompes, comme dans le donjon de la plus haute tour, en implorant ses courtisans de venir le rejoindre. Comme quoi dans les voies génitales comme dans les parades nuptiales, c'est aux prétendants de faire les premiers pas. Du reste, ils ont toujours préféré l'initiative à la passivité, le rôle du chasseur à celui du traqué.

Il vit au maximum deux jours et les spermatozoïdes, eux, peuvent survivre six jours dans le système reproducteur féminin. Donc, pour un couple désireux d'avoir un marmot, il leur faut faire l'amour pendant les cinq jours précédant l'ovulation. Le jour suivant l'ovulation est aussi approprié, mais il est plus difficile à cibler. En fait, le plus simple est de parachuter régulièrement des petits soldats entre les septième et quinzième jours du cycle. Mais cette stratégie est un peu abusive et risque aussi de diminuer le nombre de spermatozoïdes dans l'éjaculat. Les plus perspicaces d'entre vous ont certainement décodé, derrière tout cela, la stratégie qui consiste à faire en sorte que les spermatozoïdes aient la courtoisie d'attendre l'ovule. Lorsqu'ils sont en avance, ils ont tout leur temps pour peaufiner leur préparation et pour faire leur percée. Au contraire, si l'ovule, plus éphémère, les attend, les chances de le féconder s'amoindrissent. Il a été démontré que la grande majorité des grossesses humaines sont engendrées par des spermatozoïdes qui ont passé quatre à cinq jours à se la couler douce dans les voies génitales féminines. Ainsi, nous ne sommes probablement pas les descendants du plus rapide des coureurs, mais peut-être de celui qui a lu l'*Éloge de la lenteur*.

Le spermatozoïde étant beaucoup plus petit devant Sa Majesté l'ovule, la rencontre entre les deux équivaut à celle d'un têtard amoureux d'une éléphante. Et si l'ovule est aussi imposant – et moins mobile –, c'est parce qu'il a emmagasiné les repas nécessaires aux premiers stades du développement fœtal. Cette *Big Mama* bien dodue garde en son sein assez de nourriture pour que le fœtus en devenir puisse grignoter le temps qu'on le branche au système circulatoire. Vous savez, quand un étudiant emménage dans une nouvelle ville pour étudier et qu'il signe son premier bail, sa maman se fait un devoir de lui préparer des plats congelés en attendant qu'il apprenne à cuisiner. Eh bien, c'est exactement ce que fait l'ovule avec le futur fœtus.

Comme une reine, l'ovule est rare et précieux. En effet, ces cellules ne sont pas produites en quantités astronomiques, car leur fabrication demande au corps un investissement énergétique important. Alors que les hommes créent à volonté des petites coquilles vides appelées spermatozoïdes, les femmes naissent avec un quota fixe de cellules sexuelles. Et leur production cesse quand elles atteignent environ 45-55 ans, quand elles «tombent» en ménopause.

Ces cellules sexuelles, sorte d'ovules potentiels, connaissent aussi une mortalité tout au long de la vie. Ce phénomène est appelé atrésie folliculaire. À tous les stades de développement, pour une raison encore mystérieuse, Madame perd des follicules, donc des ovules potentiels. Pendant la vie intra-utérine, le fœtus contient des millions de cellules ayant le potentiel de devenir des ovules. Or, après la naissance, il ne reste plus que deux à quatre millions de follicules, une fraction de ce qu'ils étaient. Et la mortalité se poursuit jusqu'à l'adolescence, et il ne reste plus alors à Madame que 200 000 à 400 000 follicules, dont seulement 400 arriveront à maturité et donneront des ovules fécondables. Il y a donc un ovule achevé et fonctionnel pour 1 000 follicules, ce qui crédite au final chaque femme de 400 ovules dont les menstruations successives sont une sorte de décompte menant au tarissement de la source.

Au total, 99,99 % des follicules mourront avant leur maturité. À chaque cycle, quelques follicules immatures entament leur développement dans les deux ovaires, mais au bout de quelques jours, un follicule dominant est sélectionné tandis que les autres meurent. Comme quoi il n'existe pas une vraie course des spermatozoïdes vers l'ovule, mais bien une course des follicules pour devenir un ovule. Dans cette compétition, les raisons qui guident le choix du follicule dominant sont encore mal comprises.

Étant donné que les ovules potentiels ont le même âge que les femmes qui les portent, ils vieillissent en même temps qu'elles. Après la puberté et dans la jeunesse, les ovules et le corps de la femme sont optimaux pour la procréation. Or, lorsqu'une telle cellule prend de l'âge, le fonctionnement de sa machinerie interne devient moins efficace. Il y a là, pourrait-on dire, une baisse de qualité qui rend parfois périlleuses les grossesses en âge avancé. Heureusement, aujourd'hui les centres de fécondation in vitro offrent aux jeunes filles qui souhaitent retarder leur grossesse de congeler leurs propres ovules. Ainsi, celle qui a fait congeler ses ovules à l'âge de 20 ans peut, 15 ans plus tard, pour toutes sortes de raisons, se les réapproprier au centre de fécondation pour les implanter dans son utérus. Voilà des prouesses technologiques éprouvées à l'usage des femmes prévoyantes.

UN CYCLE ET DES ÉMOTIONS EN MONTAGNES RUSSES

Restons dans notre concours de Miss. Un cycle ovarien comprend une phase folliculaire pendant laquelle les ovaires organisent un concours pour trouver les follicules qui seront couronnés pendant le mois. Plusieurs candidates sont sélectionnées et entament leur croissance sous la supervision des hormones que sont les œstrogènes et la progestérone. Pendant cette phase, comprise entre le premier et le quatorzième jour, les œstrogènes se sont accumulés dans le corps. Ce sont ces hormones qui génèrent l'œstrus – ou l'ovulation. C'est seulement au sixième jour du cycle que sera choisi le follicule dominant. Il est en quelque sorte le système de transport de l'ovocyte qui sera ultérieurement la cible des spermatozoïdes et deviendra un ovule, une fois fécondé.

Durant cette période de croissance et de sélection des follicules, Madame devient Miss Univers. Rien de moins. (Si elle se perçoit comme telle, en quelque part, elle le devient, alors...) Confiante, désirable et irrésistible – et, surtout, tout irriguée par les œstrogènes et la progestérone –, elle cherche à faire zoomer les caméras mâles. Elle a le mot libido inscrit en *gloss* pétant sur les lèvres. Normal, car à l'approche de l'ovulation, elle produit beaucoup plus de testostérone. Pas de doute que l'ovule fera succomber son petit courtisan à la queue frétillante. Et, dans ces moments, la femme serait davantage attirée par les hommes qui sécrètent beaucoup de testostérone. Disons que la qualité des gènes du mâle devient un critère d'accouplement plus important autour de l'ovulation.

En revanche, après l'ovulation et le retour à la normale de la libido, Madame est plus ouverte aux hommes qui ont le potentiel de s'impliquer dans la vie familiale, ce qui apparaît logique puisque le *bad boy* bourré de testostérone a tendance à disparaître quand vient le temps de s'occuper des enfants. Ce dilemme dans le choix du partenaire avant et après l'ovulation est qualifié par certains spécialistes d'effet papa papillon. Entre le beau papillon qui butine et s'envole vers d'autres cieux et le papa pantouflard qui s'investit dans la vie familiale, le cœur des femmes balancerait selon la phase de leur cycle.

Au bout de 48 heures, si l'ovule trouve un spermatozoïde, la grossesse débute. S'il n'est pas fécondé, il meurt. Dans ce dernier cas, au 21e jour du cycle, la progestérone est à son maximum; s'enclenche alors une phase émotionnellement désagréable appelée phase lutéale pendant laquelle la femme se sent parfois comme une patate au four: amorphe, un brin fumante, aucunement désirable. Cette période, qui précède la menstruation, se traduit par une chute brutale des taux d'œstrogènes. C'est le fameux SPM (syndrome prémenstruel). Les conjoints avertis savent alors que c'est le bon temps d'aller à la quincaillerie ou, mieux, dans une pourvoirie pour la fin de semaine, question d'éviter toute confrontation. Rappelez-vous, Messieurs, qu'une toute petite goutte de pipi abandonnée sur le rebord de la cuvette suffit à ce que vos valises volent jusque sur le perron.

La vie d'une majorité de femmes comprend donc des fluctuations hormonales qui accompagnent l'ovulation, la mort de l'ovule non fécondé, la grossesse, le post-partum, la périméno-pause et la postménopause. Pour la psychiatre américaine Julie Holland, cette promenade hormonale en montagnes russes est en grande partie à l'origine des traits de personnalité féminine. La sensibilité, l'empathie, la fragilité émotionnelle féminine doivent beaucoup à ces variations d'états émotionnels, dit la praticienne. De ce fait, toutes les méthodes de contracep-tion qui empêchent ces chamboulements émotionnels sacrifient ces particularités féminines induites par les hormones. La pilule anovulante aplanit aussi son état émotionnel mensuel. Pareil-lement, la grossesse correspond à une période de calme hormo-nal, une trêve de neuf mois où elle est à l'abri des changements récurrents à chaque cycle. Cette quiétude émotionnelle serait bénéfique à beaucoup de femmes, elles qui peuvent même développer une certaine dépendance à ces temps de calme. Mais les chamboulements post-partum viennent rapidement rappeler à celles qui voudraient recommencer qu'il y a un prix à payer après l'accouchement.

LA SYMÉTRIE DE L'OVULE

Dans le jargon scientifique, une chatte en chaleur est dite « en œstrus ». Chez la chatte, le message envoyé au mâle est un peu trop ardent. Il faut dire que sur ce plan, elle est plus expressive que bien des espèces. Chez ce félin, c'est la douleur de l'accou-plement qui déclenche l'ovulation. Pour ce faire, la femelle est malheureusement bien servie, car le pénis du matou est bardé de pointes épineuses qui blessent les parois vaginales. C'est pourquoi la chatte miaule douloureusement à l'accouplement. Plus le mâle est dominant, plus les épines péniennes font mal. C'est ce qu'on appelle le *chadomasochisme*! À titre de comparaison, les chaleurs de la vache sont moins spectaculaires : elle renifle, pose son menton sur le beau bovin qui lui plaît et, s'il ne comprend pas, elle lui monte dessus.

Bien que nous, les humains, soyons, semble-t-il, incapables de détecter ces messages moléculaires aéroportés que sont les phéromones, des découvertes récentes indiquent que les hommes sont capables de percevoir les périodes de chaleur ou de disponibilité sexuelle féminines. En gros, l'ovulation rendrait les femmes plus désirables et les hommes mordraient inconsciemment à l'appât. Dans une étude où l'on demandait à des hommes de choisir leur préférée entre deux photos de la même femme, la majorité choisissait celle croquée pendant la période d'ovulation. Selon John Manning et Diane Scott, de l'Université de Liverpool, la raison est que l'ovulation gomme les marques d'asymétrie chez les femmes. Or, on sait que la beauté, biologiquement parlant, est aussi une histoire de symétrie du visage. Ainsi, par un mécanisme non élucidé, les mâles de notre espèce parviendraient à saisir ces changements discrets, catalysés par les pics hormonaux en période d'ovulation.

En plus du visage, l'ovulation modifierait les odeurs corporelles. Des chercheurs américains de l'Université du Nouveau-Mexique se sont penchés sur la question en exploitant un lieu qui n'a rien à voir avec un laboratoire de biologie. Dans cette étude, Geoffrey Miller et ses collaborateurs ont évalué l'effet de la phase œstrale du cycle de la femme – tenez-vous bien, Messieurs – dans les bars de danseuses nues (au grand dam des épouses de ces chercheurs). En vérité, ils n'y étaient pas présents physiquement. Ils ont préféré demander aux danseuses de prendre des notes à leur place !

Tandis que les hommes sont sensibles à l'ovulation féminine, leur comportement avec les filles devrait être différent au cours de cette phase de disponibilité sexuelle : telle était l'hypothèse de travail. Pour mesurer cet effet potentiel, ils ont regardé le montant récolté en pourboires par 18 danseuses pendant 5 300 danses contacts, le tout étalé sur deux cycles menstruels. Ils ont alors remarqué que le pourboire reçu grimpait subitement les jours précédant l'œstrus : elles gagnaient en moyenne 170 $ de plus par tranche de cinq heures par rapport aux jours de travail où elles avaient leurs règles.

Les explorateurs scientifiques dans ces antres de la foufoune ont aussi noté que les filles absorbant des pilules contraceptives, qui empêchent la libération d'un ovule, avaient un revenu plus stable, donc non soumis à cette période d'attractivité avec laquelle les hommes paraissent connectés. Peut-être que les hommes sont plus sensibles qu'ils le croient aux pouvoirs des phéromones, si toutefois ils jouent véritablement un rôle dans la dynamique sexuelle.

LE JOUR DE MA MÉNOPAUSE

La ménopause ne dure qu'un seul jour ! Un an exactement après la fin des règles, vous pouvez sortir le champagne et dire à vos amis que c'est le jour de votre ménopause. Bon, il est vrai qu'il est difficile de considérer cette façon de voir les choses, mais avant cet anniversaire, on doit parler de périménopause, ou si vous préférez la préménopause, et après vient la post-ménopause. Même si vous ne tenez pas compte de ces appellations plus lexicales que pratiques, vous pouvez quand même les essayer pour déstabiliser vos amies.

Pour l'autre qui traverse les bouffées de chaleur et se noie dans ses sueurs nocturnes, entendre son amie dire que sa ménopause a duré une journée est bien troublant. La périménopause commence à la fin de la quarantaine et à 55 ans, disent les spécialistes, 90 % des femmes sont ménopausées. Vers la quarantaine, la qualité des ovules diminue drastiquement. Les effets secondaires de ce chamboulement du cycle ovulatoire sont manifestes et multiples, les plus répandus étant les bouffées de chaleur, les sueurs nocturnes et la prise de poids. À ces symptômes plus fréquents s'ajoutent des sautes d'humeur, des troubles du sommeil, des migraines, une baisse de la libido et, dans certains cas, la dépression. Une enquête réalisée auprès de 1 000 femmes âgées de 45 à 65 ans a révélé que 65 % étaient incommodées par des bouffées de chaleur, pour 56 % d'entre elles c'étaient des sueurs nocturnes et 58 % de ces femmes avaient pris du poids. Gageons que 175 % avaient pété les plombs (cela inclut les conjoints).

ÉPAULARDS ÉPAULÉS

Dans le règne animal, la ménopause est étonnamment bien documentée chez les orques, aussi appelées épaulards. On a appris que les femelles de cette espèce, qui peuvent vivre jusqu'à 90 ans, cessent de se reproduire vers la quarantaine. Des études menées chez une population d'orques du Pacifique depuis les années 1960 ont démontré que la mort d'une femelle amoindrit les chances de survie de sa descendance mâle l'année suivante. Lorsque la mère est ménopausée, sa disparition multiplie par 14 les risques que sa progéniture, même âgée de 30 ans, meure l'année suivante. Pourquoi ? Les mères conservent des liens avec leur descendance mâle toute leur vie. Et leur expérience bénéficie aux mâles, particulièrement pendant la recherche de nourriture et les mauvaises rencontres. Par ailleurs, ceux soumis à une forte concurrence, généralement les plus petits, sont plus vulnérables que les femelles et ont besoin de grossir rapidement pour imposer le respect. Ici encore, la femelle ménopausée améliore les chances de survivre de jeunes mâles et, incidemment, de se reproduire à leur tour.

Chapitre 7

LA FÉCONDATION

« Pour te parler de la fécondation, mon fils, j'ai le goût de te dire, comme le font la plupart des parents, que j'ai planté une graine dans le ventre de ta maman. Sauf que je ne suis pas un jardinier. Et ta maman n'est pas un pot de fleurs. Je te dirai donc que la fécondation, c'est ce moment où l'étincelle de la vie a allumé l'éclat magnifique qui brille aujourd'hui dans tes yeux. Mais, pour être plus rationnel, la fécondation c'est le moment où mon spermatozoïde a rencontré l'ovule de ta mère. C'est un mécanisme biologique qui paraît très simple, mais les scientifiques ont raconté plus de 200 ans de conneries avant de trouver cette vérité. »

LA GRANDE RENCONTRE ENTRE
LE SPERMATOZOÏDE ET L'OVULE

La fécondation, c'est l'entrée d'un spermatozoïde dans un ovule. Ce phénomène est particulièrement éreintant pour la petite cellule mâle. Pour gagner l'ovule, le valeureux spermatozoïde doit percer une double barrière de protection. Heureusement, il peut compter sur ses munitions, stockées dans sa tête, dans une structure appelée l'acrosome. Eh oui, Mesdames, même si la queue mène les spermatozoïdes et leurs propriétaires, c'est avec leur tête qu'ils dégainent. Dans les faits, ce n'est pas la queue, ou le flagelle, qui mène. La force de propulsion vient de la partie située à la base de la tête, un segment qu'on appelle « pièce intermédiaire ». Celle-ci renferme les unités de fabrication d'énergie appelées des mitochondries dont s'alimentent les flagelles. Les spermatozoïdes sont d'ailleurs très fiers de ces appendices, du moins jusqu'à ce qu'ils découvrent que les ovules, tout comme leurs propriétaires, sont plus intéressés par la tête que par la queue ; c'est que, durant la fécondation, l'ovule accepte la tête du spermatozoïde et rejette le contenu du flagelle, y compris la pièce intermédiaire qui contient les mitochondries.

Cette « décapitation » du spermatozoïde ou cette ségrégation des mitochondries du père a une conséquence qui mérite d'être soulignée. En rejetant le contenu de la queue, l'ovule fécondé engendre un bébé qui n'hérite que des mitochondries de sa mère. Et si je vous raconte toutes ces informations, qui relèvent de la physiologie reproductive, c'est pour enlever un peu de crédit aux hommes dans la conception. Mesdames, si un jour votre mari commence à crier sur tous les toits que fiston a hérité de la force physique de son père, vous pourrez le contredire. Dites-lui simplement que ce sont vos mitochondries à vous qui fabriquent majoritairement l'énergie de ce grand athlète. Évidemment, il risque de vous demander ce qu'est une mitochondrie, mais vous n'êtes pas tenues d'expliquer. Louis Cyr, cet homme fort québécois, avait donc raison quand il affirmait retenir sa force de sa mère. Par contre, si vous voulez confondre davantage votre homme, expliquez-lui que l'ADN mitochondrial utilisé en généalogie moléculaire est uniquement d'origine maternelle. Savourez ensuite ce moment où vous avez réussi à le déstabiliser.

Revenons à nos spermatozoïdes. Une fois que le « vainqueur » s'est envoyé en l'air avec l'ovule, ce dernier doit se protéger des perdants qui continuent de frapper à la porte. Parce qu'un fœtus créé de la fusion d'un ovule et de deux ou trois spermatozoïdes n'est pas viable, l'entrée d'un autre prétendant est synonyme de catastrophe. L'ovule fécondé doit s'en protéger par tous les moyens. Pour mieux visualiser le phénomène, imaginez ce dragueur, du genre pot de colle, qui revient toujours à la charge bien que la convoitée arbore de façon ostensible une bague de fiançailles. Les spermatozoïdes perdants sont un peu comme ces individus insupportables, et l'ovule doit utiliser des méthodes fortes pour les mettre hors d'état de nuire. Avec le temps, heureusement, ils ont appris à les repousser.

Sans entrer dans les détails moléculaires, disons simplement que pour renforcer sa forteresse, l'ovule rasera tous les sites sur lesquels les pots de colle peuvent s'accrocher. Dans ces réactions de protection, connues sous le nom d'obstacles à la polyspermie, le travail le plus important est assuré par des unités qu'on appelle granules corticaux, dont le rôle consiste à consolider et à cimenter les remparts de l'ovule fécondé. Plus étonnant, chez certaines espèces, la membrane de l'ovule fécondé peut changer de polarité et «électrocuter» les spermatozoïdes qui ne respectent pas son intimité avec son élu.

Malgré toutes ces précautions, il arrive qu'un perturbateur réussisse à entrer et à casser le party, comme on dit. Il faut alors attendre un autre cycle pour recommencer. Comme quoi, pour certains hommes, un non lancé par une belle sera toujours interprété comme un oui potentiel.

LES SPERMATOZOÏDES PARTENT EN GUERRE !

Avant 1970, on voyait les spermatozoïdes comme un groupe monolithique de petits entrepreneurs se livrant une compétition pour décrocher le lucratif contrat de fécondation d'un ovule. Depuis les travaux de Geoff Parker, en 1970, cette vision un peu idyllique des cellules testiculaires a été modifiée. Ce chercheur, qui étudiait la mouche du fumier, a été le premier à démontrer que les spermatozoïdes se faisaient la guerre pour féconder. Cependant, dans cette compétition, on ne s'attaque pas aux combattants du même contingent, mais bien aux adversaires venus d'un autre mâle.

Cette guerre des spermes, aussi appelée compétition sperma-tique, est très populaire chez les espèces polyandres où les femelles sont capables de s'accoupler avec plusieurs mâles pendant leur période de fécondité. Les ovules étant une denrée particulièrement rare, les spermatozoïdes du même éjaculat travaillent en équipe et vont même jusqu'à former de véri-tables consortiums pour optimiser leurs chances de féconder l'un de ces œufs. Cette solidarité s'explique par le fait que lorsqu'un des leurs marque le but gagnant, c'est toute l'équipe des spermatozoïdes qui en sort victorieuse. Mais, plus que tout, elle s'explique par leur commun dessein à perpétuer la génétique de l'individu.

Pour se préparer à une éventuelle compétition spermatique, les stratégies des mâles ne manquent pas d'originalité chez certaines espèces. Certains vont miser sur le nombre de joueurs de leur équipe pour diluer l'adversaire ; ici, la grosseur des testicules peut être un atout indéniable. Par exemple, par rapport à leur taille, les chimpanzés ont de plus gros testicules que les gorilles qui ont moins de promiscuité sexuelle. Les femelles chimpanzés, qui sont particulièrement libertines, peuvent en effet s'accoupler avec différents mâles. Ainsi, devant cette forte possibilité de compétition spermatique, les mâles devaient nécessairement augmenter la taille de leurs testicules afin de supplanter en nombre les spermatozoïdes des autres géniteurs – comme quoi l'expression « avoir des couilles » est peut-être une sagesse populaire de nos cousins les chimpanzés ! Les gorilles mâles, par contre, ne partagent pas leurs femelles. Dans cet environnement de fidélité et de faible compétition spermatique, les mâles n'ont pas besoin de gros testicules parce que leurs armées risquent rarement de rencontrer de la résistance sur le chemin qui les mène à l'ovule.

Chez d'autres espèces, les mâles peuvent aussi se doter de spermatozoïdes particuliers, capables de barrer complètement la route vers l'ovule aux cellules adverses. Il y aurait même, selon des biologistes, des spermatozoïdes kamikazes qui s'accrocheraient à leurs adversaires pour les ralentir. Chez la souris sylvestre (*Peromyscus maniculatus*), les spermatozoïdes sont munis d'un crochet sur la tête, ce qui leur permet de s'agripper les uns aux autres et de devancer les formes solitaires. Quelques espèces de libellules possèdent des pénis équipés d'une brosse servant à racler et à élimer le sperme déjà présent dans les voies génitales de la femelle avant d'y déposer leur propre semence.

Chez les canards, la femelle peut laisser le fatigant faire la chose avant d'expulser complètement son sperme. L'exemple extrême de cette compétition spermatique est la drosophile du genre *bifurca*. Cet insecte a opté pour des spermatozoïdes géants qui mesurent de 5 à 8 cm. Ils sont quinze fois plus longs que l'animal qui les produit. C'est comme si un humain sortait de son pénis des spermatozoïdes de 35 mètres ! Chez la drosophile, ces spermatozoïdes géants sont pelotonnés ; de ce fait, une fois cette boule spermatique à l'intérieur du tractus de la femelle, elle forme un bouchon qui empêche les autres mâles d'y injecter leur sperme. Comme si cela ne suffisait pas, les mâles de cette espèce ajoutent à cette stratégie d'obstruction l'utilisation d'anti-aphrodisiaques pour rendre la femelle complètement indifférente aux avances des autres mâles.

L'utilisation des anti-aphrodisiaques et des bouchons sperma-
tiques, pour soustraire les femelles réceptives aux avances des
autres mâles, est courante dans cette compétition des spermes.
Ce type de guerre est d'ailleurs la preuve irréfutable que,
contrairement à la croyance populaire, les femelles ont leur
mot à dire dans leur propre fécondation. Loin d'être passives,
elles opéreraient, discrètement, une certaine sélection des
spermatozoïdes. Mais, c'est aussi la revanche possible des plus
faibles sur les plus musclés. En effet, on a longtemps pensé
que la chance de perpétuer ses gènes dépendait très souvent
de la dominance d'un mâle, mais, après le combat externe, ce
match qui se poursuit dans les voies génitales de la femelle
peut consacrer un subalterne appelé aussi parfois un mâle
satellite qui s'est accouplé après avoir déjoué la vigilance du
mâle dominant. Ainsi, le mâle propose, mais il arrive aussi que
la femelle dispose. Et c'est la nature qui gagne, car elle adore
la diversité génétique. (Elle n'aurait jamais recommandé de
congeler le sperme du même taureau pour féconder des générations de vaches à la grandeur de l'Amérique du Nord...)

Une question cruciale demeure : « Est-ce que la compétition
spermatique peut avoir lieu dans le système reproducteur de
la femme ? » La réponse semble affirmative, même si les
preuves ne débordent pas des bibliothèques. Après tout, une
femme peut en principe copuler avec deux ou trois hommes
en l'espace de deux ou trois jours et, ainsi, avoir trois équipes
de spermatozoïdes dans son tractus génital pendant l'ovulation.
Cependant, force est de reconnaître que notre mode de vie,
qui sacralise le couple et diabolise l'infidélité, nous prédispose
moins à ce type de match intra-utérin.

Les travaux de deux biologistes anglais, Robin Baker et Mark Bellis, publiés en 1989, démontrent que le sperme humain s'est adapté à cette compétition, même si elle n'est pas très courante dans nos sociétés. Les spermatozoïdes humains seraient, selon les chercheurs, organisés un peu comme dans une équipe de soccer: il y a des attaquants, des buteurs et des défenseurs. Ces derniers seraient constitués de spermatozoïdes anormaux, spécialisés dans les manœuvres d'obstruction contre les potentiels marqueurs d'une équipe adverse. Dans une publication datant de 1993, Baker et Bellis ont même rapporté que la masturbation est une stratégie évolutive qui permet aux hommes de rajeunir les spermatozoïdes contenus dans un éjaculat. Mais la compétition des spermes chez l'espèce humaine a de nombreux détracteurs dans le monde des scientifiques.

LA CERTITUDE DE LA PATERNITÉ

L'amour dans le monde animal vient souvent avec la guerre. Chez les éléphants de mer, les mâles défendent leur harem au prix de leur vie. Après la période d'accouplement, la paix revient sur la plage. Même rengaine chez les orignaux: une fois la bataille du bûcher terminée, le *buck* vainqueur s'accouple avec la ou les femelles. Il va même la surveiller pendant quelques jours pour s'assurer que ses spermatozoïdes ont le temps de faire le travail. Il s'enfoncera ensuite dans le bois, le panache bien haut, certain d'avoir assuré sa descendance cette année. Et la paix revient.

Imaginez si, pendant la saison de reproduction, les femmes se rassemblaient dans une clairière et attendaient que les gars finissent leurs combats pour copuler. La seule vue des armoires à glace suffirait probablement à inciter les gringalets à déclarer forfait. Et comme nos ancêtres lointains savaient qu'il était risqué de se battre pour se reproduire, ils ont limité le nombre de femmes que peut convoiter un homme. Du moins, un homme ordinaire. C'est que les grands de ce monde ont toujours assumé et exhibé leurs gènes d'orignaux avec fierté ; dans certains pays, les hommes de pouvoir se réservaient à eux seuls des centaines de femmes.

Dans le monde animal, pour se donner des chances d'être père ou améliorer la certitude de la paternité, les mâles ont développé bien des stratégies. Il en existe qui surveillent, séquestrent, chouchoutent, nourrissent des femelles ou s'en prennent violemment à des compétiteurs. Des mâles moins outillés de certaines espèces de poissons vont même jusqu'à se « travestir » pour berner les plus forts et s'accoupler avec les femelles.

Tous les moyens semblent bons pour assurer sa descendance, y compris des comportements qui peuvent paraître dramatiques sous un regard humain. Par exemple, quand le nouveau mâle dominant d'une troupe de lions réalise qu'un petit n'est pas le sien, il arrive qu'il le tue. L'allaitement ainsi écourté, la réceptivité sexuelle de la lionne est réactivée. Ce risque d'infanticide amène les femelles à s'impliquer dans les guerres de pouvoir. Lorsque les lionnes ayant des bébés voient une autre coalition de mâles attaquer le mâle dominant de la troupe pour lui ravir son trône, elles sortent leurs griffes. En effet, laisser le nouveau venu chasser le papa de leur petit, c'est aussi risquer de le voir tuer leur progéniture. Cette forme d'infanticide est très fréquente dans le monde des mammifères.

Chez les singes galagos, qui vivent sur les hauts plateaux éthiopiens et érythréens, Jacinta Beehner et son équipe de l'Université du Michigan ont observé des comportements très inusités en réaction à cet infanticide. Lorsqu'un nouveau mâle dominant s'impose dans une troupe de galagos, les femelles gestantes, qui portent la génétique du mâle défait, avortent spontanément. Pourquoi investir autant d'énergie pour mettre à terme un petit qui sera tué aussitôt, après tout? Ce phénomène est appelé l'effet Bruce, du nom de la zoologiste britannique Hilda Margaret Bruce (1903-1974), qui a été la première à décrire son existence.

Il semblerait qu'on retrouve chez les femmes une réminiscence de cette peur de voir le mâle s'attaquer au nouveau-né. Pour éviter le drame, la nature ferait en sorte que les mamans et leur famille s'activent après l'accouchement à marteler au père que le poupon a exactement le même nez, le même front ou les mêmes yeux que lui.

Des études menées aux États-Unis et au Mexique ont démontré que c'est la famille de la maman qui trouve davantage le bébé identique à son père. Les auteurs de cette recherche, Martin Daly et Margo Wilson, deux anthropologues américains, ont étudié 68 enregistrements vidéo de naissances aux États-Unis pour savoir ce que les mères et leur entourage disaient du petit juste après la naissance. Ils ont découvert que dans 80 % des cas, la famille de la femme trouvait que le bébé ressemblait au papa. Voilà une belle façon de lui faire comprendre qu'il a intérêt à s'investir pleinement dans la protection et l'éducation de cet enfant, qui est une copie partielle de lui-même et, donc, un véhicule de perpétuation de ses gènes. Je suis belle, mais pas à croquer parce que je te ressemble papa ! Voilà peut-être ce que dit la petite fille en sortant de sa maman.

Si nous sommes incertains de notre paternité, c'est parce que nous n'avons pas la même chance que les mâles d'autres espèces. En période de rut, la plupart des femelles mammifères répandent des signaux qui montrent aux mâles que leur horloge biologique carillonne. Pendant que les vaches libèrent des odeurs, les babouins et les chimpanzés affichent des couleurs vives sur leurs organes sexuels. Des femelles oiseaux, pour leur part, construisent leur nid en paradant. Quand la phase ovulatoire est ostensible, il est plus facile pour les mâles de s'assurer de leur paternité.

POURQUOI AVEZ-VOUS CACHÉ
L'OVULATION, MESDAMES?

Pour ce qui est de la certitude de la paternité chez l'espèce humaine, les choses sont différentes parce que l'ovulation est dite cryptique. Elle est d'ailleurs si bien cachée que de nombreuses femmes ont aujourd'hui besoin d'étudier leur glaire cervicale ou de faire des relevés de température pour savoir quand elles ovulent. Pourquoi donc la nature occulte-t-elle l'ovulation de la femme? Probablement pour éviter que les gars ne leur fassent le coup de l'orignal, pensent les évolutionnistes. Si nos ancêtres lointains avaient connu avec certitude la phase féconde de leur conjointe, ils auraient fait exactement comme les orignaux et seraient retournés dans le bois une fois la grossesse entamée, ce qui aurait condamné les femmes à s'occuper seules des petits, comme c'est la règle chez bien des espèces. Étant donné que Madame est capable d'avoir des rapports sexuels toute l'année, y compris quand elle est enceinte, et que Monsieur ne sait pas du tout quand se passe l'ovulation, la nature offre à l'homme une seule possibilité pour s'assurer d'être le géniteur: il doit être présent à la maison pour copuler régulièrement – et pour surveiller les éventuels sauteurs de clôture.

C'est en partie de cette façon que la nature a amené les mâles de notre espèce à s'investir dans l'éducation des petits. L'ovulation cryptique de la femme aurait partiellement contribué, au cours de l'évolution, à catalyser le sens de la famille propre à notre espèce. Si les conséquences évolutives de cette cachotterie féminine peuvent être en ce sens positives, il existe tout de même un côté sombre. Il est légitime de penser que l'incertitude de la paternité aurait poussé les hommes à contrôler les femmes. La ceinture de chasteté, que l'on posait à la femme avant de partir en expédition, est l'une des multiples stratégies masculines pour ne pas élever l'enfant d'un autre. Plus près de nous, la burqa a probablement été popularisée par des hommes qui voulaient soustraire totalement les femmes du regard des autres mâles dans l'espace public.

À cause de cette crainte masculine d'élever un bâtard, dans la grande majorité des cultures, l'infidélité féminine est généralement plus réprimandée que celle des hommes. Comme quoi, tant que les hommes voteront les lois et feront la morale, le *gentil playboy* restera injustement l'équivalent féminin de la *sale pute* ou de la *grosse salope*.

Certains anthropologues pensent que le mariage est une invention servant aussi à améliorer la certitude de la paternité. L'exogamie permettait aux hommes de payer une dot et d'amener la femme dans son propre domicile, où la surveillance de ses allées et venues devenait la responsabilité de toute la famille du mari. Qui plus est, l'acquittement d'une dot était, dans plusieurs cultures, une façon déguisée d'acheter le droit de vie et de mort sur une ou plusieurs femmes. La polygamie, quant à elle, est une façon qu'a trouvée l'homme de disperser ses gènes pour combattre sur plusieurs fronts. Ainsi, croit-il, il remportera au moins une bataille. Mais à tous ceux qui doutent de leur paternité, je leur recommanderais la sagesse de mon grand-père : « Tu l'aimes et tu l'élèves, donc c'est toi son père. » C'est pour ça que les parents adoptifs sont aussi aimants et dévoués à leurs petits que les parents génétiques. En plus, il y a maintenant les tests de paternité pour tout clarifier. Je crois qu'il est temps de libérer les femmes de ce malsain contrôle mâle qui les empêche de s'épanouir. Un contrôle égoïste qui est souvent fait sous le couvert de la religion et qui a plus à voir avec la bête jalousie que la croyance.

JE VEUX UN GARÇON OU UNE FILLE

Si, Monsieur, vous êtes du genre à vous plaindre que votre femme ne vous a pas donné de garçon, vous êtes dans le champ. Cette remarque un peu culpabilisante est injustifiée parce qu'en fait, c'est vous qui « décidez » du sexe du bébé. Comme on l'a vu plus tôt, les spermatozoïdes sont soit des mâles portant le chromosome Y, soit des femelles transportant le X. Alors, si vous n'avez pas de garçon, c'est probablement parce que vous n'avez pas mangé assez de bananes avant de concevoir. Mais non, je blague. Reste que c'est une des nombreuses croyances jadis véhiculées et qui, étonnamment, persiste encore au XXIe siècle. Franchement, si manger des bananes améliorait les chances d'avoir un garçon, il n'y aurait plus aucune fille dans les républiques bananières de la planète.

Parce que la sélection des naissances a toujours préoccupé l'humanité, on a longtemps cherché des décoctions, incantations et autres voies de contournement pour chasser le hasard de la conception. Nombreux sont les charlatans qui savaient ce qu'il fallait faire pour faire naître un garçon ou une fille. Il existait une théorie dite du « niveau énergétique de l'homme », une croyance selon laquelle lorsque Monsieur était fatigué avant de passer au lit, il risquait d'avoir une fille. Par contre, s'il était en super forme, ses chances d'engendrer un garçon augmentaient de façon exponentielle. Alors, si vous voulez le garçon, Madame, provoquez-le le matin, et si vous voulez avoir une fille, faites-lui faire le grand ménage avant d'accepter !

La méthode de sélection du sexe que je préfère est celle que recommandait un médecin français du XVIe siècle nommé Jean Liébault, qui, sous Henri IV, conseillait aux couples désireux d'avoir un garçon de manger ensemble les deux testicules rôtis d'un bouc. Cette posologie était toujours accompagnée d'une mise en garde, celle de ne pas manger qu'une gonade, sinon l'enfant viendrait au monde avec un seul testicule.

L'alimentation a souvent été citée comme facteur de détermination probable du sexe d'un bébé à venir. Le régime salé du gynécologue français François Papa a connu un succès dans les années 1970. Ce docteur avait pensé sa méthode en s'inspirant d'une découverte scientifique de 1958 qui prouvait que dans les milieux liquides riches en sodium et en potassium, les têtards engendrés par une grenouille étaient majoritairement des mâles, tandis que les milieux riches en calcium et en magnésium donnaient surtout des femelles. S'inspirant de cette trouvaille, le docteur Papa recommandait aux couples désireux d'avoir un garçon de manger beaucoup de charcuteries et autres aliments salés. Pour avoir une fille, les produits laitiers et des aliments sucrés étaient la solution.

Si vous êtes du genre astrologie et forces lunaires, optez donc pour la méthode de la Française Roberte de Crève Coeur, laquelle est basée sur la position de la lune. C'est un procédé qui implique un calendrier élaboré à partir de calculs mathématiques secrets. Il compte des jours roses pour concevoir une fille et des jours bleus pour un garçon. Pas de question à vous poser : il suffit de faire la grande chatouille le bon jour.

Dans les années 1970, un docteur américain nommé Ronald Ericsson rapportait que les spermatozoïdes portant le chromosome Y sont plus rapides que ceux ayant le X parce que plus légers. Plusieurs ont alors conclu qu'on pouvait utiliser cette différence pour favoriser un sexe ou l'autre lors de la course pour la fécondation, ce qui a été contredit par des recherches ultérieures.

La nature ne favorise pas plus les spermatozoïdes portant le chromosome X que ceux traînant le Y. Aujourd'hui, dans le monde, il naît en moyenne 105 garçons pour 100 filles. Comme la mortalité chez les garçons est plus élevée que chez les filles, l'équilibre démographique s'installe très rapidement. La tendance finit même par s'inverser, car l'Occident compte plus de mamies que de papis !

C'EST UN GARÇON, UNE FILLE OU...

Rappelons quelques principes élémentaires. Si un spermatozoïde portant le chromosome X féconde l'ovule, on obtient une fille. Si c'en est un transportant un chromosome Y, ce sera un garçon. La nature a voulu que l'appareil génital du fœtus se développe à partir d'un tissu embryonnaire primitif capable à la fois de se transformer en ovaires ou en testicules. Donc, si le Y est présent dans l'embryon, des gènes localisés sur ce chromosome transforment ce tissu primitif en testicules. Une fois formées, les gonades sécrètent de la testostérone, qui favorise la formation des organes génitaux mâles. À l'inverse, lorsqu'un spermatozoïde portant un chromosome X féconde l'ovule, l'absence de testostérone pendant le développement embryonnaire engendre la formation d'ovaires et d'un appareil génital féminin.

En revanche, quand l'action des hormones sur leurs récepteurs est déficiente, la différenciation sexuelle peut être incomplète, ambiguë ou carrément inversée par rapport au sexe génétique. En voici quelques exemples. Dans le cas où un embryon mâle a des testicules qui ne produisent pas suffisamment de testostérone, il se peut que son appareil génital se féminise ; on obtiendra à l'accouchement une belle petite fille avec des testicules internes à la place des ovaires. À l'opposé, un embryon génétiquement XX, donc féminin, lorsqu'il est exposé aux androgènes de sa mère pendant sa vie fœtale, peut aussi faire un garçon avec des ovaires internes. Et on n'a pas encore fait mention des facteurs environnementaux qui influeraient sur l'identité sexuelle du fœtus en développement – les parabènes présents dans les cosmétiques et les pesticides, qui se comportent comme des hormones, sont aujourd'hui de plus en plus pointés du doigt.

Les frontières entre les genres sont donc très poreuses, et les intermédiaires abondent. Selon Anne Fausto-Sterling, auteure et professeure en étude du genre à l'Université Brown, dans le Rhode Island, environ 1,7 % de la population ne peut être associée à l'une ou l'autre des identités sexuelles. Aussi propose-t-elle l'existence de cinq sexes humains qui sont définis de la façon suivante. Il y a d'abord le sexe génétique, qui sépare les humains entre les porteurs de la combinaison XX et ceux de la combinaison XY, une particularité qui est fixée dès l'entrée du spermatozoïde dans l'ovule. Le deuxième sexe est celui qu'elle qualifie d'anatomique et qui sépare les porteurs de pénis des individus qui possèdent un vagin. Le troisième sexe, dit hormonal, oppose ceux qui produisent de la testostérone aux fabricants d'œstrogènes. Le quatrième sexe est qualifié de social ; il désigne notre appartenance personnelle au groupe des hommes ou des femmes. Pour rallonger cette liste, Anne Fausto-Sterling ajoute un cinquième sexe qu'elle qualifie de psychologique. Tenant compte de ces niveaux d'identité sexuelle, nous pouvons envisager une multitude de combinaisons génératrices d'autant de diversité sexuelle dans les populations humaines.

Bref, tout se passe comme si la nature avait le dessein de brouiller dans bien des cas la frontière entre les genres. Au-delà de l'importante diversité sexuelle dans les sociétés humaines, les molécules impliquées dans notre sexualité nous rappellent aussi ce flou des genres. C'est ainsi que l'ocytocine, hormone propre à la féminité, est produite par les hommes pour aiguiser leur tendresse affective. Plus surprenant encore, la testostérone, qui, doit-on le rappeler, titille la libido mâle, doit bizarrement être convertie en œstradiol, une hormone femelle, pour pouvoir agir sur le cerveau masculin. Vous avez bien compris : l'hormone mâle doit être transformée en hormone femelle pour pouvoir agir sur un cerveau masculin.

Ce brouillage des frontières hormonales entre hommes et femmes laisse croire que Platon n'avait sans doute pas tort dans son *Banquet* : nous descendrions, au départ, d'un être androgyne. Souvenons-nous que dans cette fable qui remonte à l'aube de l'humanité, Zeus, dans une grande colère, aurait décidé de séparer notre ancêtre androgyne en deux individus : un homme et une femme. Depuis cette époque, rongé par la nostalgie, chacun passe sa vie à chercher celui qui devrait être son double dans le but de former un couple et retourner à sa fusion originelle.

Lorsqu'on scrute ce mythe de l'androgynie sous la loupe scientifique, on peut conclure qu'il se fonde sur une bonne dose de lucidité. Avant que la différenciation sexuelle se mette en place, nous descendons tous d'un androgyne fœtal susceptible de se muter en fille ou en garçon. C'est ainsi que les hommes ont hérité des tétines qui, au demeurant, ne nous servent pas à grand-chose. Comme ces structures déjà présentes sur les embryons ne nuisaient à l'intégrité d'aucun des deux sexes, la nature, probablement par souci d'économie, a jugé plus approprié de ne pas y toucher. Au grand bonheur des amateurs de piercing !

Avant que les religions monothéistes ne sonnent le glas de leur première chasse aux sorcières, l'hétérosexualité et la monogamie côtoyaient une impressionnante variété de façons d'être et de célébrer l'amour et la vie. Dans certaines sociétés amérindiennes, par exemple, les intersexués étaient déjà considérés comme les porteurs de pouvoirs mystiques. Il n'était pas rare qu'ils occupent le respectable titre de chaman. Ces « intermédiaires » étaient aussi culturellement acceptés à Hawaï, au Myanmar, en Inde, au Japon, en Polynésie, en Italie, aux Samoa et dans d'autres contrées de la planète. Bien qu'on observe certains progrès quant à l'acceptabilité des genres dans nos sociétés contemporaines – comme en Australie où, en plus des traditionnelles cases « homme » et « femme », on trouve la case « autres » dans les formulaires –, on progresse encore, me semble-t-il, à pas de tortue.

LES ENFANTS OGINO

La méthode Ogino, très populaire à la fin des années 1950 et au début des années 1960, doit son nom à un scientifique japonais nommé Kyusaku Nakamura qui fut adopté par la famille Ogino. Nakamura est célèbre pour avoir découvert en 1924 que l'ovulation chez la femme se produit une fois pendant son cycle mensuel. Le plus important legs de ce personnage demeure sa méthode anticonceptionnelle, celle par laquelle les couples désireux d'avoir des enfants peuvent déterminer la période de fécondité de la femme. Car, la méthode Ogino, au départ, est tout sauf contraceptive. C'est un gynécologue autrichien nommé Hermann Knaus qui est venu brouiller les pistes quelques années plus tard et qui l'a présentée comme méthode contraceptive. Bien qu'Ogino se soit opposé à un tel contre-emploi – il soutenait avec raison que les risques d'échec étaient trop élevés –, cette méthode de contraception deviendra très populaire bien avant les pilules anovulantes. Beaucoup d'enfants nés dans ces années 1950 témoignent d'ailleurs de son taux d'échec élevé. Il fallait aux femmes une régularité absolue et une rigoureuse discipline sexuelle pour ne pas se retrouver avec un pain dans le four. Aujourd'hui, les méthodes de contraception sont plus efficaces, mais peuvent occasionner beaucoup de malaises et d'inconforts chez un grand nombre de femmes. Certaines utilisatrices sont même simplement incapables de supporter les effets secondaires de ces pilules et stérilets dits de dernière génération.

Et l'une des plus performantes reste la pilule anovulante classique. Parce qu'elle contient des œstrogènes et de la progestérone, cette pilule réussit à tromper parfaitement le cerveau. Voici comment : la progestérone, qui signifie « pour la gestation », est une hormone qui veille à préparer l'utérus pour le bébé ; un surplus de progestérone apporté au corps par une pilule leurre le système nerveux en lui faisant croire que la femme est enceinte. Par conséquent, le corps de la femme empêchera la libération d'ovules par les ovaires et, du coup, le cycle menstruel s'interrompra. Certaines pilules appelées minipilules contiennent seulement de la progestérone. Elles n'empêchent pas l'ovulation de se produire, mais peuvent entre autres rendre impénétrable la glaire cervicale qui bouche l'entrée de l'utérus. Les spermatozoïdes auront beau frapper, ils resteront sur le perron.

Les dispositifs intra-utérins, comme le stérilet, n'empêchent ni l'ovulation de se produire, ni les spermatozoïdes de féconder l'ovule. Quand on a un stérilet installé dans l'utérus, c'est pour empêcher les ovules fécondés (le préembryon) de s'y implanter. S'il n'y a pas d'implantation, pas de grossesse.

UN ENFANT, PLUSIEURS PAPAS

Sur le continent africain, deux exemples très originaux de polyandrie sont bien documentés. Dans le Kasaï occidental, en République démocratique du Congo, habitent les Bashilele, qu'on appelle aussi les Lele. Dans un village lele, les jeunes célibataires d'un même groupe d'âge pouvaient former des sortes de clubs appelés kumbus. Ils se construisaient un petit quartier à l'extérieur du village avant de mettre leurs économies en commun et payer la dot pour se fiancer avec une seule femme. Celle-ci pouvait être originaire du même village ou d'une bourgade voisine. Il arrivait qu'elle soit enlevée théâtralement à un autre clan ou subtilisée à un époux violent en guise de réprimande.

Un kumbu comptait 10 à 30 jeunes hommes. La première lune de miel avec cette femme commune était plus romantique que sexuelle et pouvait durer plusieurs mois. C'était là une période de cohabitation pendant laquelle les jeunes hommes rivalisaient de stratégies, de romantisme et de charme pour se faire remarquer de la belle et se distancer des autres compétiteurs. Telle une reine, la jeune femme était nourrie, soignée, amusée, convoitée de tous les côtés, mais elle devait être suffisamment forte pour résister aux assauts des jeunes mâles libidineux qui osaient transgresser la règle du « pas touche ».

Après des mois de vie commune, la femme choisissait les hommes avec lesquels elle voulait continuer à vivre ; le mariage était dès lors célébré solennellement devant tout le village.

Forcément, lorsqu'un enfant venait au monde, tous les maris étaient papas. Il arrivait aussi que le plus puissant des maris, poussé par la jalousie, s'approprie les faveurs de la belle, ce qui obligeait les coépoux à plier bagage et à s'engager dans un mariage conventionnel. Voilà une pratique qui aurait pu inspirer les créateurs de l'émission de téléréalité *Loft Story*. Évidemment, il y avait une raison sociale à cette manigance culturelle. Selon l'auteur congolais Séraphin Ngondo A Pitshandenge, au point de vue social, la femme commune d'un kumbu distrayait les jeunes célibataires pour les empêcher de courtiser les dames mariées du village et, incidemment, de perturber la paix sociale. On pourrait tout autant y voir une entourloupette pour faciliter aux hommes cette précieuse certitude de la paternité.

Pour leur part, les femmes polyandres des Bashilele bénéficiaient d'un statut social plus élevé que les autres femmes et demandaient une dot deux fois plus grosse que pour un mariage régulier. En plus, parce qu'elles bénéficiaient d'une sorte d'immunité diplomatique auprès des autres clans, elles étaient souvent désignées par les chefs pour négocier avec les tribus frontalières. À mon avis, il y a une certaine logique dans l'attribution des pouvoirs à ces amazones de l'amour. Quand une femme a réussi à tenir tête à 30 hommes bourrés de testostérone dans une maison pendant deux ans, elle a indéniablement un énorme pouvoir de négociation.

Chez les Abisis du plateau de Jos, dans le centre-nord du Nigéria, une femme était mariée à trois hommes le même jour. Le premier mari était choisi dans un clan voisin ; c'était un mariage politique. Le deuxième mari était le choix personnel de la femme, donc son mariage d'amour. Le troisième mari était choisi par la famille parmi les prétendants qui étaient rejetés par la femme. La mariée commençait donc sa vie conjugale chez son premier mari, dans un clan ou dans un village voisin. Après une année avec ce dernier, elle déménageait chez celui que son cœur avait choisi. Après une autre lune de miel d'une année, elle pouvait ramasser ses bagages et continuer sa promenade nuptiale vers la troisième maison conjugale.

La plupart du temps, les femmes abisis ne se rendaient pas chez ce troisième mari. Elles passaient leur vie entre la maison du premier et celle du deuxième, selon qu'elles étaient plus ou moins comblées. Ce système familial avait la particularité de rendre les hommes éjectables à tout moment. Comme ils n'étaient jamais certains de garder la femme pour toujours, ils devaient se forcer pour s'attirer ses faveurs. Reste que ces femmes n'avaient pas toujours le gros bout du bâton, car les hommes aussi pouvaient accueillir deux ou trois femmes nomades. Ainsi, nous assistons à un mélange, à première vue assez *peace and love*, de polygamie et de polyandrie.

Nul besoin de vous dire que ces particularités ont été diabolisées par les religions monothéistes. Aussi ont-elles été renvoyées au dépotoir des traditions maritales jugées non conformes, trop éloignées qu'elles étaient de la représentation du couple parfait, formaté par des penseurs rigoristes (et majoritairement célibataires).

Chez les Todas des montagnes bleues du sud de l'Inde existait une forme de polyandrie très singulière. Quand une fille épousait un homme, elle devenait automatiquement la femme de tous ses frères. Tous habitaient avec la mariée et tous étaient papa après l'accouchement. Mais entre-temps, au septième mois de grossesse, un des frères s'était retiré dans le bois avec la femme et lui avait offert un cadeau et un repas. Ce rituel avait fait de lui le papa principal de l'enfant à venir. Chaque bambin avait donc un papa principal et des papas secondaires.

Cette paternité plurielle a aussi été observée dans des tribus de l'Amérique du Sud. Chez les Baris, peuples du Venezuela et de la Colombie, les anthropologues américains Stephen Beckerman et Paul Valentine ont rapporté qu'un enfant pouvait avoir plusieurs pères. Une fois la grossesse amorcée, le fœtus avait supposément besoin de matière première pour se développer, et ce matériau, indispensable à la croissance de l'embryon, provenait de l'éjaculation. Ainsi, quand une femme Baris tombait enceinte, des hommes de la communauté étaient sollicités pour lui en fournir. La plupart du temps, c'est la femme qui demandait de l'aide, probablement après avoir constaté qu'à force de vouloir construire seul, son mari était en train de tomber en ruines.

L'anthropologue américain William Crocker a lui aussi découvert chez les Canela du Brésil que pour eux, les rapports sexuels multiples pendant la grossesse étaient une source de vitalité pour le fœtus. Dans cette culture où les règles sociales interdisaient toute expression de jalousie, les femmes enceintes cherchaient des relations extraconjugales pour alimenter le développement du fœtus. L'enfant provenant de cette grossesse avait plusieurs papas également. Après tout, pourquoi avoir un père quand on peut en compter plusieurs qui s'investissent dans notre développement? Voilà une belle façon, pensent les anthropologues, de favoriser la survie de la descendance en période de précarité.

Chapitre 8
LA GROSSESSE ET L'ACCOUCHEMENT

La grossesse, Anthony, c'est neuf mois de totale communion avec ta mère. Cela explique probablement pourquoi ta maman devinera tout sur toi, y compris ce que tu essayeras de lui cacher. Tomber enceinte, c'est donner son corps et son cœur à quelqu'un qu'on n'a jamais vu. C'est le plus grand geste de générosité. Et avoir un enfant, disait Katharine Hadley, c'est accepter qu'une partie de notre cœur se sépare de notre corps et marche à côté de nous pour toujours. Moi, j'ajouterai que les membres d'une même famille sont les parties d'un même cœur. C'est pour ça qu'il est parfois important de ralentir pour permettre aux différentes parties de ce cœur de battre à la même cadence.

MIEUX VAUT EN RIRE QU'EN PLEURER

La femme québécoise est l'une des plus émancipées de la planète. Si tu veux apprendre à manger du riz avec des baguettes, épouse une Chinoise, mais si tu veux apprendre à te ramasser et à marcher au pas, épouse une Québécoise. Voilà un slogan que j'aime bien déballer à mes parents, au Sénégal, qui trouvent que j'ai bien changé. En seulement six mois, j'ai appris avec ma Québécoise adorée tout ce qu'il fallait savoir sur l'égalité des sexes. J'ai dû mettre les bouchées doubles parce que, avec mon modèle paternel, je partais de très loin. Pour vous donner une idée, les seules fois où j'ai vu mon père entrer dans la cuisine, c'est parce qu'il s'était trompé de porte. Et comme la plupart des gens venus du Sud, j'ai rapidement découvert que lorsque demander la main peut coûter un bras, mieux vaut marcher au doigt et à l'œil. Aujourd'hui, je sais que la meilleure façon de s'approprier une autre culture à vitesse grand V, c'est d'épouser une femme du pays et faire un enfant avec elle. J'ai appris du même coup que c'est en Occident que l'homme pouvait avoir un rôle actif dans la grossesse.

Dans mon Sénégal natal, la grossesse et l'accouchement sont des moments exclusivement réservés aux femmes. Mais dans mon couple mixte au Québec, dès que Caroline, ma conjointe, a vu la ligne rouge sur son test de grossesse, nous sommes tous les deux tombés enceintes. J'ignore la raison, mais Madame voulait absolument accoucher sans anesthésie. En veut-elle à la péridurale? me disais-je. Je lui ai rappelé qu'elle gobe des aspirines au moindre mal de tête, mais que, pour un accouchement, elle s'acharne à le faire à froid. Or, puisqu'elle y tenait mordicus, je l'avais encouragée jusqu'au bout. Je me suis évidemment tapé des cours de yoga prénatal, d'aquaforme prénatale, d'hypnonaissance ; j'ai lu toutes sortes de bouquins du genre *Sans la péri je m'épanouis*, *J'accueille mon bébé sans être gelée*, *Je respire et j'accouche avec le sourire*, etc. Bon, j'exagère un peu sur les bouquins. Reste que j'étais tellement impliqué dans la grossesse que pendant l'accouchement, après dix heures de travail, j'ai appelé le médecin en spécifiant : « Si elle ne veut pas la *péri*, donnez-la-moi, docteur. Je ne suis plus capable ! » Il y a des limites à vouloir enfanter dans la douleur.

Quand nous sommes arrivés l'hôpital, Caroline avait entendu une dame hurler comme une possédée dans la salle voisine. « Franchement, elle exagère ! » a-t-elle lancé pour elle-même. « Ma chérie, lui ai-je répondu, mon grand-père disait que la bûche qui est dans le jardin ne devrait pas rire de la bûche qui est dans le foyer. Tu en es au début de tes contractions et le physiologiste en moi te rappellerait que les contractions utérines commencent par des petites vagues qui finissent en tsunamis. Les infirmières à qui je donnais des cours de physiologie humaine m'ont appris que les trois mensonges les plus populaires dans les hôpitaux du Québec étaient : ce ne sera pas long, ce n'est pas grave et ça ne fera pas mal. »

Après quelques heures de travail, j'ai simplement tendu la main pour lui masser le cou et, d'un coup, elle m'a ordonné : « Ne me touche pas ! » J'ai bien pensé lui répondre que si elle avait dit la même chose neuf mois plus tôt, on n'en serait pas arrivé là, mais j'ai préféré me taire. Comme le disait ma mère, si les conséquences risquent d'être plus explosives que le plaisir de dire la vérité, fermer sa gueule est fortement recommandé. Ce jour-là, je me suis dit que la violence que certaines femmes manifestent envers leur mari pendant la délivrance est peut-être le signe d'un reproche, celui, et non le moindre, de les avoir entraînées dans cette galère.

Autrefois, on tendait un oreiller à la femme qui accouche et on lui demandait de le mordre pour sublimer sa douleur. Malheureusement, une docteure a eu la brillante idée de remplacer l'oreiller par la main du futur papa. Nombreux sont les hommes qui rentrent à la maison les doigts meurtris par une morsure d'accouchement. Les médecins non plus n'y échappent pas. Sauf qu'eux connaissent les risques de provoquer les femmes à l'accouchement. Du reste, en dépit de toute la douleur éprouvée, lorsqu'on ramène le poupon à la maison, on oublie tout. À croire que les femmes sécrètent une hormone d'amnésie post-partum. Cela expliquerait pourquoi elles finissent par oublier les vergetures, la perte massive de cheveux, la diminution de la vue, la solitude et l'isolement, la surcharge pondérale, les fuites urinaires, la perte de calcium, le tablier ventral, les descentes mammaires, les cernes oculaires, l'insomnie chronique. Allez savoir ! En passant, il faut absolument taire ces « petits aléas » de l'accouchement aux jeunes filles qui désirent un jour enfanter. Cela les en dissuaderait. (C'est une question de survie de l'espèce !)

Autre mystère, cette question : « Il pesait combien ton bébé ? » Combien de fois l'ai-je entendue ! Mais, d'où vient qu'on s'enquière du poids du bébé auprès de la nouvelle maman ? On devrait plutôt s'inquiéter de la taille de la tête, qui cause plus de dommages. Pourquoi ne pas remplacer le « Il pesait combien ? » par « C'était quoi son périmètre crânien ? » À ma connaissance, aucune maman n'a gagné le prix du plus gros bébé de l'année. Et, en quoi un bébé dodu est-il souhaitable, d'abord ? Parce qu'on ne court aucun risque de le perdre avec l'eau du bain ? Bref, je pense que les mères de gros bébés méritent plus de compassion que d'admiration. Il faut rappeler à tous les maris ici de faire preuve de sensibilité et retenue dans les commentaires pendant l'accouchement. De ne pas être des hommes qui trouvent naturel l'accouchement parce que leur maman a sorti neuf rejetons sans épidurale. Ils ont alors tendance à lancer un commentaire du genre : « Tu n'es pas la première à vivre cette expérience. Les femmes ont toujours accouché avant l'invention de la péridurale. » Pourtant, très souvent, si on enferme le même type dans une toilette, le simple fait de délivrer une crotte bien dure lui donne des sueurs froides !

Cela me fait penser à une blague glanée sur le Web. C'est l'histoire d'un couple qui se rend à l'hôpital pour accoucher. À la salle de naissance, le médecin propose aux futurs parents d'essayer un tout nouvel appareil qui révolutionnera le monde de l'obstétrique : une machine permettant de transférer une partie de la douleur de l'accouchement au père biologique de l'enfant. Après une brève discussion, le couple opte pour le partage de la douleur. Le travail de la femme débute et le médecin règle l'appareil de manière à rediriger 10 % de la souffrance sur le jeune homme. Il précise que ce pourcentage est déjà éprouvant. L'accouchement progresse et le père, imperturbable, réclame maintenant 20 % de la douleur. Après deux heures sur le 20 %, voyant sa conjointe souffrante, le père dit, haut et fort : « Je veux 50 %. » Il reste étonnamment stoïque. Avant la fin de l'accouchement, il demande de grimper la machine à 90 % sous le regard admiratif du médecin. Finalement, la conjointe donne naissance à un beau gros bébé en santé, presque sans aucune douleur. Elle embrasse ensuite longuement son mari pour le remercier et louer sa résistance et son empathie. Le père bombe alors le torse jusqu'à ce que de retour chez lui, on lui apprenne que son voisin est mort subitement en se plaignant de douleurs intenses au bas du ventre.

SURPRISE AU BERCEAU

La superfécondation n'a rien à voir avec un « Supermatozoïde » cherchant un « Wonder-ovule ». C'est un phénomène au cours duquel deux ovules, expulsés des ovaires lors d'un même cycle menstruel, sont fertilisés par les spermatozoïdes provenant d'un ou même deux hommes différents. Rappelons que les spermatozoïdes peuvent survivre jusqu'à six jours dans les voies génitales féminines, laps de temps pendant lequel les chances de fécondation croissent. Évidemment, la superfécondation demeure un phénomène très marginal, surtout lorsqu'elle est engendrée par des éjaculats différents.

Imaginez, une femme blanche qui met au monde deux bébés dont un est chocolat blanc et l'autre chocolat au lait. Dans ce cas, les parents auraient tort de crier au miracle. En vérité, il y a plus de chances que cette incongruité soit le produit d'un voisin haïtien que celui d'un acte divin. En passant, « chocolat au lait » est la dénomination suggérée par mon fils pour éviter qu'on le qualifie de mulâtre. C'est un bel adon car ce terme, péjoratif, est une invention des esclavagistes espagnols et portugais référant à la mule. Mon fils dit que sa maman est un chocolat blanc, son papa un chocolat noir et lui un chocolat au lait.

Un jour, une femme noire d'un village africain avait accouché d'un enfant chocolat au lait. Devant la surprise, les villageois avaient porté leurs soupçons sur le seul missionnaire blanc qui y vivait. Lorsque, appelé à témoigner, le jésuite a parlé de pétard mouillé et a tenté d'expliquer la chose par ces voies du Seigneur qui étaient impénétrables, le chef du village lui a demandé si celles de la femme qui venait d'accoucher l'étaient tout autant. Comme il avait plaidé l'innocence, même si la femme jurait avoir couché avec lui, la présomption d'innocence était de mise. Surtout, il fallait rabrouer la population qui voulait, en guise de punition, que le jésuite innocenté soit blanchi dans une grosse marmite. Déjà qu'il était dans l'eau chaude...

Alors que je séjournais en France, j'ai entendu à la radio une histoire du même genre qui m'avait bien fait rigoler. Un jour, à l'époque de la royauté, relatait l'historien invité, la femme d'un aristocrate français accouche d'un enfant chocolat au lait.

Comme le couple est blanc, la descendance chocolat au lait pose un problème. Complètement déboussolé, le monsieur se rend voir un savant de l'époque pour élucider le mystère.

Après avoir interrogé le gentilhomme sur ses mœurs sexuelles, le charlatan lui tricote une théorie un brin tordue sur l'origine du bronzage inattendu de sa descendance. « Puisque vous fréquentez de temps en temps les maisons closes, dit-il au bourgeois, vous avez probablement couché avec une prostituée juste après le passage d'un homme noir. Vous êtes alors revenu à la maison avec un des spermatozoïdes du *Black* collé à votre pénis. Quand, quelques heures plus tard, vous vous êtes retrouvé au lit avec votre propre femme, ce sprinter africain s'est réveillé et a coiffé vos soldats testiculaires au fil d'arrivée. »

Évidemment, comme biologiste, je ne pouvais que m'incliner devant cette gymnastique intellectuelle, bien rodée, pour éviter de dire à ce noble monsieur que son domestique bronzé n'avait pas compris qu'il y avait des restrictions quand on l'a engagé comme homme à tout faire.

LA FILLE BRONZÉE DE LOUIS XIV

En 1664, une histoire d'enfant chocolat au lait très inusitée aurait selon bien des auteurs, dont Victor Hugo, secoué la royauté française. Je vous la résume en m'inspirant d'un texte de Gilles Martin-Chauffier publié dans *Paris Match* en 2014. Pour faire plaisir à sa reine Marie-Thérèse, le roi Louis XIV lui offre un jouet pas comme les autres : un nain, originaire du royaume du Dahomey, le Gabon d'aujourd'hui. La très vertueuse et très religieuse Marie-Thérèse le baptise alors Nabo. Elle file de bien beaux jours dans son palais, en constante compagnie de son distrayant nain et de ses fidèles servantes, jusqu'au moment où, pour la troisième fois, elle tombe enceinte !

Lorsque la reine accouche, son bébé, une petite fille, affiche une couleur plutôt chocolat au lait que chocolat blanc. Louis XIV avait beau s'appeler le roi Soleil, la couleur de sa fille ne pouvait s'expliquer par un simple bronzage.

Devant ce phénotype inattendu, la rumeur se répand comme une odeur de couche pleine et un parfum de scandale se propage dans tout le palais. Puisque l'image de sainteté de la reine commence à en prendre pour son rhume, il faut illico trouver des explications crédibles pour disperser les insinuations qui fusent de toutes parts. De fait, quand le roi se présente pour admirer son rejeton, un penseur de la cour lui explique que le bronzage inattendu de sa fille s'expliquerait par le chocolat dont Marie-Thérèse abusait pendant sa grossesse. Toutes ces friandises qui tapissent son tube digestif ont réussi, par un miracle physiologique, à teindre la peau du bébé.

Pour sa part, le chirurgien de la reine, un peu plus pragmatique, pointe un doigt accusateur vers le nain et propose des explications tout aussi farfelues. Il raconte que la reine et son nain avaient une connexion hors norme et qu'une force surnaturelle logée dans le regard du petit Dahoméen a miraculeusement influencé la grossesse de la reine. À défaut de parler de pénétration, le chirurgien soupçonna le regard un peu trop pénétrant du nain qui, comme on le sait, venait du berceau africain du vaudou.

Un autre savant avance un manque d'oxygène pendant l'accouchement comme phénomène explicatif de la couleur du bébé. Évidemment, le roi n'est nullement convaincu par toutes ces élucubrations qui tentent plus de le rassurer sur sa paternité que de l'éclairer sur l'origine du bronzage de sa fille qui, en passant, portait le nom de Marie-Anne.

Peu de temps après la naissance de Marie-Anne, le nain disparaît subitement des dédales du palais. On ne l'y a jamais revu depuis. Un peu plus tard, coup de théâtre : la princesse Marie-Anne est déclarée morte. Le nain et l'enfant mulâtre hors de vue, la reine regagne lentement ses lettres de noblesse dans le palais. Près de vingt ans plus tard, en 1683, un peu après le décès de la reine Marie-Thérèse, on apprend l'existence, dans un couvent, d'une jeune fille bien éduquée au teint foncé. Qui était-elle ? Je vous laisse deviner. Ainsi s'achève la saga de l'enfant chocolat au lait de Louis XIV, ou plutôt de la fille du nain dahoméen de la reine Marie-Thérèse. La génétique peut parfois réserver des surprises, mais jamais elle ne fait de miracle.

CHRONIQUE D'UN NID D'AMOUR

Les mammifères placentaires que nous sommes sont flanqués de l'un des modes de reproduction les plus compliqués du monde animal. Ce serait tellement plus simple si nous pondions des œufs. Imaginez l'époux qui rentre à la maison et trouve sa femme accroupie dans un coin du salon :

— Bonjour, ma poulette, comment ça va ?

— Je ne sais pas, mon chéri, on dirait que je couve quelque chose.

On verrait alors le damoiseau, plein d'empathie, remplacer sa femme dans la couvaison, prenant ainsi un rôle actif dans cette oviparité. Et, si le temps leur manquait parce qu'ils préféreraient réchauffer leur chaise de bureau plutôt que de tempérer un œuf, ils pourraient tout simplement acheter une couveuse. En venant au monde, leur enfant serait alors complètement bronzé, comme Boucar. Imaginez encore si la nature introduisait un polymorphisme racial dans ce mode de reproduction : les œufs blancs seraient dès lors attribués à la race blanche, les œufs bruns à tous les bronzés de la terre et, pour faire des Asiatiques, il suffirait de séparer les blancs des jaunes comme le font les chefs cuisiniers !

Outre cette oviparité – ici un brin délirante, je le concède –, la nature a d'autres possibilités pour nous permettre de nous multiplier. Les bactéries, par exemple, ont seulement besoin de se diviser en deux et d'engendrer, au bout de quelques heures, une abondante descendance dont tous les individus sont identiques. Si cette reproduction par clonage s'était appliquée aux humains, on nous aurait épargné des discriminations par la race, la taille, la beauté des yeux et autres caractéristiques phénotypiques. L'hermaphrodisme aurait aussi été une belle option pour la perpétuation de notre espèce, car il offre la possibilité de faire l'amour quand on veut et comme on peut.

Plus sérieusement, l'accouchement et le maternage sont des entreprises de taille. Et justement, la taille de notre cerveau y est pour beaucoup. La nature a fait payer aux femmes le gros prix en décidant, un jour, de créer cet animal d'une intelligence supérieure qu'est l'espèce humaine. Elle voulait un bipède qui devait voir plus loin que les autres bêtes de sa taille et qui, en plus, aurait les mains libres pour sculpter des outils, lancer des javelots ou se curer le nez avec le doigt au feu rouge. Le problème est qu'après avoir fini son design, la nature s'est rendu compte qu'à cause de cette bipédie, le bassin de la femme s'est rétréci, rendant un peu plus problématique le passage de ce bébé au gros cerveau.

Comme elle ne pouvait plus faire marche arrière, elle a décidé de programmer une expulsion du bébé au bout de neuf mois de vie intra-utérine, une limite au-delà de laquelle l'expansion cérébrale risque de compromettre la sortie par voie génitale. Sans compter que, comme le fœtus est très, très confortable dans la chaleur de l'utérus de sa mère, il n'est pas pressé de sortir. Aussi faut-il l'éjecter de force après 40 semaines de grossesse. Cette éviction est d'ailleurs si pressante que la volonté est parfois écartée des contractions utérines : c'est le cerveau et un cocktail d'hormones qui gèrent le chantier et forcent l'utérus à se contracter pour signifier clairement au bébé que son bail est expiré. Et quand les planchers craquent sous le poids de la femme, ou qu'elle est incapable de lacer elle-même ses souliers, c'est que l'insurrection approche. À l'accouchement, le cerveau du bébé à terme représente 25 % de la taille de celui d'un adulte moyen. Et comme ses 100 milliards de neurones ne sont « câblés » qu'à 10 %, ces nouveau-nés sont comparables à des tubes digestifs qui hurlent.

TÉLÉCHARGEMENT NEURONAL EN COURS...

Selon la neurobiologiste française Catherine Vidal, le reste des connexions neuronales se fabriquera avec la socialisation et les apprentissages pour atteindre un million de milliards à l'âge adulte. Contrairement aux petits singes qui grimpent si facilement aux arbres après quelques mois, nous devons nous taper des années d'investissement parental pour amener nos enfants à une certaine autonomie. Aucun enfant humain n'est outillé intellectuellement pour survivre seul pendant la petite enfance, période durant laquelle s'effectue une bonne partie de la programmation de notre cerveau. Leur longue dépendance est aussi – et heureusement – un des précurseurs évolutifs du développement du sens de la famille qui caractérise notre espèce. Une fois que l'enfant est sevré, pendant que la parenté interagit et s'occupe de lui, la maman peut retomber enceinte. À titre comparatif, cette possibilité est inexistante chez la femelle chimpanzé qui doit prendre soin de son petit jusqu'à l'âge de quatre ans avant de pouvoir concevoir de nouveau. C'est entre autres en misant sur la famille, le village et la communauté pour éduquer les enfants que les humains ont proliféré si rapidement sur la planète.

Il a fallu à notre espèce environ 2,5 millions d'années pour passer d'un cerveau de la taille de celui d'un chimpanzé à notre gros format actuel. Et cet organe, qui représente 2 % de la masse d'un adulte moyen, consomme jusqu'à 20 % de son énergie. Évidemment, on connaît tous un cousin ou un beau frère qui semble être en dessous de cette moyenne. Pourtant, s'il y a un mythe coriace dans l'imaginaire collectif, c'est bien celui selon lequel nous n'utiliserions que 10 % de ses capacités. Je m'interroge : comment la nature peut-elle sélectionner un organe aussi énergivore pour n'en profiter qu'à 10 % ? Pour quelques-uns, cette croyance vient du fait que les neurones ne forment que 10 % des cellules du cerveau, les 90 % restants étant les cellules gliales qui soutiennent, nourrissent ou protègent les neurones.

Réfléchissons-y : si on ne sollicitait que 10 % de notre cerveau, cet organe aurait certainement connu une régression, au moins partielle, car toute structure anatomique qui ne travaille pas finit par perdre des capacités. Il est donc inconcevable que la nature impose toutes ces souffrances aux femmes pendant l'accouchement pour un tel gaspillage cérébral. Je ne connais personne qui achèterait une immense villa pour n'occuper, au bout du compte, que la cuisine, la salle de bains et une chambrette. Il est dans ce cas plus recommandable de magasiner un bungalow !

Aujourd'hui, les techniques avancées d'études cérébrales, dont l'imagerie par résonance magnétique fonctionnelle (IRMF), ont montré que toutes les parties du cerveau sont sollicitées à différents degrés pendant une activité aussi banale que marcher ou lire le journal. Aux optimistes qui pensent l'humanité dépositaire de 90 % d'activité cérébrale latente, il est important de revenir sur terre même s'il est aussi vrai que personne n'utilise son cerveau à son plein potentiel.

ALLAITEMENT ET GUERRE DES SEINS

Si les hommes et les bébés se passionnent pour les seins, il n'est pas surprenant de les voir entrer en compétition pour le contrôle de la poitrine maternelle. En effet, dans l'histoire récente et lointaine, les mâles ont toujours affiné leurs stratégies pour gagner cet affrontement. Dans certains milieux bourgeois du XVIe siècle, l'allaitement était très mal vu. Les nourrices, à qui revenait cette tâche, pouvaient se voir confier jusqu'à quatre bébés. Comme vous êtes très fort en maths, vous savez certainement que quatre enfants, c'est deux fois le nombre de seins que possède une femme (qui n'est pas transgénique) ! Alors, pour arriver à survivre à toute cette marmaille affamée, la nourrice n'hésitait pas à crier : « La ferme ! » Se sentant aussitôt interpellés, les ânesses, les vaches, les chèvres et autres mammifères à sabots fourchus s'amenaient et, de leurs gros pis, fermaient le clapet aux petits braillards. Or, ce que les hommes avaient compris avant la science, c'est que la prolactine – qui est une hormone de l'allaitement – ainsi que les œstrogènes et la testostérone – qui favorisent la libido – ne pouvaient cohabiter harmonieusement dans le même corps. Pour ramener le désir et accéder à leur douce, les bourgeois savaient qu'écourter l'allaitement était la voie la plus rapide.

Après les nourrices, les hommes occidentaux ont trouvé dans le lait maternisé un autre allié de taille dans cette féroce compétition qu'ils livraient aux bébés. Pendant la Seconde Guerre mondiale, comme les femmes devaient travailler dans les usines à la place des hommes partis combattre l'Allemagne nazie, elles eurent la merveilleuse idée de faire revivre cette époque des nourrices et de donner du lait de vache modifié à leurs bébés. Voyant le potentiel économique que représentait cette nouvelle pratique, les industriels, soutenus par les médecins, se lancèrent aussitôt dans la promotion et la fabrication massive de ce nouveau produit de lactation, dont la popularité se prolongea après la guerre. La paix mondiale revenue, non seulement beaucoup de femmes continuèrent à nourrir les enfants au biberon, mais elles profitèrent de la révolution sexuelle pour se débarrasser de leurs soutiens-gorge.

Encouragés par cette nouvelle vague de liberté et de renaissance du bonobo, les magnats du lait maternisé se mirent à vanter à qui voulait bien entendre la supériorité de leur produit sur celui de la femme. Ils poussèrent même l'audace jusqu'à démontrer faussement que beaucoup de mamans ne produisaient pas assez de lait pour nourrir convenablement leur poupon. De l'Europe à l'Amérique, des groupes de femmes unirent alors leurs voix pour chanter la gloire du biberon et refusèrent massivement de se faire endommager la poitrine par les gencives ravageuses des petits bébés.

Une nuit d'hiver, comme le dirait un bon conteur, alors qu'elle se réveillait pour la troisième fois pour faire boire le petit, la femme expliqua à son mari que ça ne prenait pas un baccalauréat en biochimie pour préparer une bouteille et qu'il était bien capable de lui rendre ce petit service. Cette pertinente déduction ne tarda pas à se répandre dans la population, si bien que progressivement, partout en Occident, des hommes commencèrent à participer plus activement à l'allaitement. Des années plus tard, rongés par l'insomnie et les changements de couches nocturnes, les mâles se remirent à faire des études scientifiques sérieuses sur le véritable rôle de la poitrine féminine et finirent par arriver à une conclusion salvatrice pour leur genre : ils admirent que le lait maternel était meilleur que le lait maternisé.

Après cette évidence scientifique, la femme décida de renouer progressivement avec l'allaitement maternel en faisant signer à ses deux prétendants, bébé et papa, un acte de copropriété :

une entente sur le partage du sein selon laquelle le bébé avait priorité sur le contenu et le papa, sur le contenant, si et seulement si la propriétaire le voulait bien. Le problème est qu'entre la signature de cette entente et sa mise en pratique, papa doit patienter sept mois avant de pouvoir s'approcher de sa conjointe, sept longs mois de retenue pendant lesquels, chaque fois que bébé fait un sourire en tripotant le poitrail de la mère, le mari trop jaloux a presque envie de lui répondre : « Ne demande pas à un chien dont tu as coupé la queue de manifester sa joie ! »

INVESTISSEMENT ET SOINS PARENTAUX

L'instinct maternel n'existe presque plus chez les humains, il a laissé lentement sa place à un apprentissage continu et progressif. Car aujourd'hui, nous élevons les enfants avec les livres. À preuve, la première fois qu'on amène un bébé à la maison, on ne sait plus trop quoi faire. On les croit si fragiles qu'on n'a pas droit à l'erreur, à la maladresse. Quand nous avons ramené notre premier bébé à la maison, ma conjointe a passé les premières semaines à vérifier si Anthony respirait encore dans son berceau. C'en était presque une obsession. Croyant bien faire, j'avais acheté l'un de ces systèmes d'écoute qui permettent d'entendre ses moindres bruits à partir du lit conjugal. Après quelques jours, Caroline a déplacé sa paranoïa sur le fonctionnement de la machine : elle s'est mise à vérifier, revérifier et contre-vérifier les piles de l'appareil. Elle dirait ici que j'exagère. Voilà comment font les jeunes parents, ils oublient totalement que les bébés sont programmés pour optimiser leur survie et que le hurlement est l'un de leurs plus grands alliés. Quand un bébé a besoin de soins, il hurle à des fréquences insupportables. La seule chose qui nous préoccupe alors est de trouver une solution pour leur fermer le clapet et retrouver notre homéostasie.

Le bébé humain, me faisait remarquer ma belle-mère, est souvent actif la nuit, durant les premières semaines de sa vie, et ce n'est pas un hasard. Si le poupon « faisait ses nuits », comme on dit, sa mère, épuisée par l'accouchement, ferait la même chose et oublierait de le nourrir. Ainsi, pour survivre, le bébé dort le jour pendant que maman est réveillée et s'active la nuit pour la forcer à se lever et à lui donner le sein. C'est pour cela que les grand-mères expérimentées proposent d'inverser le cycle des poupons pour leur redonner un rythme circadien normal. Pour cela, il faut le garder éveillé le plus longtemps possible pendant la journée.

Autrefois, quand un jeune couple ramenait un bébé à la maison, il était accueilli par les grand-mères, qui occupaient également le poste d'enseignante. De nos jours, les grand-mères ont disparu des maisons, livrant les jeunes parents à eux-mêmes. Il y a les bibliothèques, me direz-vous. Le problème est que, bien souvent, d'un livre à l'autre, les informations se contredisent, transformant le parentage en casse-tête. Un bébé de moins de trois mois est très fragile, nous écrit-on, très justement, dans les bouquins. Dès que sa température atteint 39 degrés Celsius, il faut sauter dans la voiture et l'amener à l'hôpital, est-il encore conseillé. Mais, combien de parents se sont-ils retrouvés à l'urgence avec un bébé parce qu'ils le pensaient à l'article de la mort alors que le thermomètre rectal utilisé était simplement mal calibré ? Sans doute que grand-maman l'aurait su, elle.

L'implication active du papa lors de la grossesse est assez récente dans l'histoire de l'humanité, et le mâle *Homo sapiens* a énormément évolué dans ce domaine depuis la révolution sexuelle. Mon beau-père racontait que dans les années 1930, lorsque le médecin arrivait à la maison pour accoucher une dame, il disait toujours à l'époux, complètement en panique, de préparer de l'eau chaude, ce qui n'était rien d'autre qu'une manœuvre de distraction pour ne pas avoir à gérer son anxiété. Après tout, pensait le docteur, le temps que le mari trouve la cuisine et la recette pour faire bouillir l'eau, sa femme pouvait accoucher trois fois ! La condition masculine occidentale a manifestement connu des bouleversements pendant ces dernières décennies.

LA GRENOUILLE, LE MANCHOT ET L'HUMAIN

Dans le règne animal, plusieurs espèces font beaucoup de petits et ne perdent pas de temps et d'énergie à les protéger et à les nourrir. Certaines grenouilles, par exemple, font des dizaines de têtards et les abandonnent dans la mare, comme si elles leur disaient : «Bonne chance, mes petits ! La plupart d'entre vous se feront bouffer, mais d'autres survivront. Merci d'assurer ma descendance de cette année.»

Parallèlement à ce modèle de reproduction où on mise sur la quantité, il y en a un autre basé sur la surprotection de la descendance. Ici, on fait peu de bébés, mais on investit beaucoup de temps et d'énergie pour en assurer leur survie. Par exemple, la femelle manchot pond un seul œuf annuellement. Inutile de dire à quel point il est précieux. Après la ponte, la femelle quitte l'aridité antarctique vers des eaux poissonneuses et tempérées pour s'alimenter. Elle doit reprendre des forces. C'est maintenant au mâle de faire le tour de garde. Au moment de la passation de l'œuf, on croirait presque entendre la femelle dire à son manchot : « Mon empereur adoré, je quitte la banquise avec des amies pour quelque temps, j'ai l'estomac dans les talons. Prends soin de notre œuf. C'est le seul que nous avons. Surtout, arrange-toi pour qu'il ne gèle pas pendant les grands froids qui arrivent. Et n'oublie pas de sortir les poubelles. Au revoir, mon coco ! » Tous ceux qui ont vu le magnifique documentaire *La marche de l'empereur* se souviennent de la touchante scène où tous les papas manchots forment une masse compacte pour se réchauffer mutuellement et protéger leurs œufs du froid, comme un groupe de *chums* cordés sur le divan du salon, protégeant chacun leur petite bière pendant les séries éliminatoires de hockey.

En Occident, il fut un temps où on prenait autant de risques que les grenouilles avec nos *trâlées* d'enfants. Dans les années 1950, par exemple, à partir d'une seule Québécoise, il se formait toute une équipe de hockey! Avec les substituts! Et on retournait au repêchage l'année suivante! Aujourd'hui, avec deux familles, on peine à jouer au ping-pong. Un homme fabrique 50 à 100 millions de spermatozoïdes pendant sa vie sexuelle pour n'en utiliser que 2 pour fonder sa famille. Il y a là quand même un énorme gaspillage! C'est comme si, en l'espace d'une génération, les Québécois avaient changé leur stratégie de reproduction pour passer de grenouilles à manchots. Toute notre vie doit tourner autour de la famille nucléaire. Les parents surprotègent les enfants et, conséquemment, vivent dans le stress permanent de les voir tomber malades. Quand le bébé fait un peu de température, on court à l'urgence. Une simple grippe suffit à semer la panique dans le quotidien des tribus de manchots qui habitent les maisons des banlieues.

Maintenant, quand un enfant avale une pièce de monnaie, on appelle l'ambulance et go pour l'hosto! Anciennement, la maman lui donnait un laxatif pour récupérer plus rapidement la monnaie dont elle avait grandement besoin! Dans notre modèle actuel de reproduction, les enfants sont si précieux qu'on entend parfois les parents les féliciter pour leur beau caca. Gageons que bientôt, papa se fera une fierté d'en partager une photo sur Facebook. Si par un malheureux hasard vous l'avez déjà fait, sachez que ce comportement peut être très préjudiciable pour l'enfant, car lorsqu'on a reçu des félicitations pour la qualité de ses crottes dans sa jeunesse, se faire simplement dire qu'on pue de la bouche à l'adolescence peut être profondément éprouvant. Nous sommes très loin de la philosophie de mon père qui disait que s'il n'est pas soutenu par un tuteur, un arbrisseau avait tendance à pousser croche. Comme papa avait une personnalité très attachante, dans la famille, on poussait droit comme des piquets. Il faut dire que mon paternel avait la mauvaise habitude de pratiquer ce qu'on appelait à l'époque l'enseignement cognitif : « Tu ne comprends pas, on te cogne. » Restons très loin de cette façon de faire avec nos enfants !

FISTON GRANDIT ET VEUT SAVOIR

Mettre au monde un enfant et s'occuper de lui est si exigeant qu'il faut parfois prendre le temps de remercier toutes les mamans du monde pour les sacrifices consentis. Un jour, mon fils Anthony m'a demandé : « Pourquoi faut-il donner des cadeaux aux mamans à la fête des Mères ? » Puisqu'il avait déjà un intérêt particulier pour la biologie, je lui ai répondu ceci : « Anthony, cette petite attention est une façon de dire merci à ta maman, Caroline, dont la générosité envers toi a commencé bien avant ta conception. L'amour maternel débute par la production d'un ovule qui est 4 000 fois plus volumineux que la tête d'un spermatozoïde. Si cet œuf est si gros, c'est parce que ta maman a pensé y stocker les provisions nécessaires aux premiers stades de ton développement fœtal, des petits goûters pour te faire patienter dans son utérus en attendant qu'elle puisse te brancher sur son cœur.

« Après la fécondation de cet ovule bien garni, ta maman a rappelé ses cellules immunitaires à l'ordre pour éviter qu'elles s'acharnent sur tes composantes d'origine paternelle, qu'elles confondent avec des microbes. Lorsque des globules blancs d'une fille de Matane voient s'installer dans leur territoire des sous-produits d'un spermatozoïde de Sénégalais, ils déclenchent l'alerte et se préparent à charcuter le composite afro-québécois en formation. Alors, pour éviter qu'un tel drame compromette ta survie, ta maman s'est dépêchée d'abaisser ses propres défenses cellulaires. Certains scientifiques pensent que c'est cette fragilité immunitaire induite qui explique, en partie, les nausées et les vomissements fréquents chez la femme enceinte. Tout se passe comme si le corps de la maman lui rappelait de ne pas envoyer des aliments infects dans son estomac pendant que sa garde rapprochée somnole.

« Tomber enceinte, mon garçon, c'est établir avec le bébé un lien presque indestructible. D'ailleurs, les scientifiques ont découvert que pendant la grossesse, des cellules du bébé peuvent traverser le placenta, s'incorporer dans le corps de la maman et y demeurer très longtemps. Ce phénomène, appelé microchimérisme fœtal, explique que des années après l'accouchement, des cellules d'Anthony vivraient encore dans le corps de sa maman Caroline. Certains auteurs leur attribuent même des rôles moins nobles, ces cellules migrantes interviendraient aussi dans la réparation des tissus et le renforcement du système immunitaire de celle qui t'a donné la vie. C'est comme si, avant de quitter l'utérus maternel, l'enfant donnait un petit cadeau à sa mère pour s'excuser des dommages causés par son passage dans son corps.

« C'est ce lien puissant, semblable à une connexion sans fil, qui permet probablement à ma propre mère, qui vit au Sénégal, de sentir mes états d'âme à Montréal. L'enfant, disait ta grand-maman africaine, pèse d'abord pendant neuf mois sur le ventre de sa mère, avant de lui peser sur le cœur pour la vie. Mais l'inverse est tout aussi vrai : perdre sa mère, c'est perdre une partie de soi. Et tous ceux qui ont emprunté ce douloureux passage vous diront que c'est la vérité. Elle part avec les traces qu'on a laissées en elle. Et on le sent pendant longtemps. Très longtemps.

« Chaque fois que je quitte le Sénégal à la fin de mes vacances, ta grand-mère m'accompagne jusqu'à la sortie de notre concession. Elle me demande ensuite de lui serrer la main gauche en fixant le soleil. Le rituel terminé, la tradition veut que chacun s'éloigne sans se retourner. Il m'a fallu quinze ans avant de découvrir que ma mère n'avait jamais apprivoisé mon expatriation et que fixer le soleil était sa façon de me cacher le torrent de chagrin qui parcourait ses beaux grands yeux.

« En fait, Anthony, ma mère est un puits sans fond dont je suis le seau qui remonte des profondeurs. Et plus je m'éloigne de cette source de vie où j'ai puisé tant d'amour, plus je fais remonter à la surface une impressionnante quantité d'eau. Les années s'écoulent et la corde qui retient le seau au puits ne s'est jamais brisée. Je sais que malgré la distance, ce cordon sera toujours assez fort pour nous rattacher l'un à l'autre. Mais le plus merveilleux, c'est que l'eau que je puise au cœur de ma mère vient étancher ta soif d'amour et de connaissances. Ma maman, comme bien des mamans de ce monde, n'a pas donné la vie à ses enfants ; elle a donné sa vie.

« Le mot *placenta* signifie " gâteau " en latin. Cette dénomination vient du fait qu'à la fin de la grossesse, cet organe ressemble à une grosse pâtisserie spongieuse qu'on mangeait dans la Rome antique. Ainsi, même la plus incompétente des mères a déjà été une maman gâteau !

« Pour mieux garder les liens avec le bébé qu'elles ont porté pérennes, beaucoup de femelles mammifères mangent le placenta et incorporent ses composantes en elles. Les vaches, qui occupent tous mes souvenirs de jeunesse, sont un bel exemple de mammifères mangeurs de placenta. Après avoir vêlé, les génisses s'empiffrent de cet organe. On peut imaginer que pour un herbivore qui ne dispose pas d'un système enzymatique très efficace pour digérer la viande, manger un placenta, ce n'est pas du gâteau !

« Si les vaches bouffent ce reliquat de l'accouchement, c'est surtout pour se débarrasser des odeurs de sang susceptibles d'attirer les prédateurs. Ce comportement est resté bien vivant dans leur génétique, même pour celles qui vivent en sécurité dans des étables depuis des millénaires. La vache a été domestiquée au Moyen-Orient à partir d'une espèce sauvage appelée l'aurochs, qui avait des prédateurs. Comme cet ancêtre de nos bovidés mangeait son placenta, aujourd'hui, 10 000 ans plus tard, les vaches continuent de le faire. Ainsi, quand il s'agit de la survie du bébé, les mamans ne courent aucun risque. Dans certaines tribus indigènes, cette pratique existait, et aujourd'hui encore, des fanatiques de la contre-culture s'adonnent à cette gastronomie inusitée.

« Dans ma tradition sérère, on creusait sous le lit de la maman pour y ensevelir le placenta. J'y vois là une façon de rappeler à l'enfant que même quand elle dort, la mère veille toujours sur lui. L'individu, croit-on, garde un contact avec ce reliquat de sa naissance pendant toute sa vie. Quand le placenta nous appelle, c'est qu'il nous demande de venir voir notre maman. C'est cet appel qui amène ta mère à faire régulièrement des centaines de kilomètres pour vous amener chez grand-maman, à Matane.

« En fait, une grand-maman, Anthony, c'est une maman qui comprend mieux pourquoi il est important de profiter des enfants pendant qu'ils ont encore besoin de nous. Si s'occuper de ses enfants pour leur donner des racines et des ailes est exigeant, les voir s'envoler et quitter le nid est tout aussi douloureux.

« Pendant longtemps, fiston, les scientifiques se sont demandé pourquoi la nature a imposé la ménopause à la femme. La science avance des tentatives de réponses, mais le mystère comporte encore des zones d'ombre. Même si bien des chercheurs expliquent ce phénomène par l'incompatibilité entre le corps d'une femme de 50 ans et les exigences physiques d'un enfantement, cette réponse n'est que partielle. D'autres pensent que la ménopause est une retraite imposée à la femme pour qu'elle puisse investir ses énergies dans ses petits-enfants. Le biologiste de l'évolution Michel Raymond a rapporté que des études effectuées à partir de registres paroissiaux en Pologne et en Finlande entre les XIIIe et XXe siècles, ont révélé que dans les familles où les grand-mères étaient présentes, les filles se reproduisaient plus jeunes et le taux de survie des enfants était beaucoup plus élevé. Cela laisse supposer que la ménopause serait aussi une sorte de retraite imposée aux femmes par la nature pour qu'elles puissent aider leurs propres enfants et, par conséquent, favoriser la survie de leurs petits-enfants qui sont aussi des véhicules de leur génétique. Si la grand-mère faisait des bébés en même temps que sa fille, elle n'aurait pas de temps à consacrer à ses petits-enfants.

« Tous les gens de ma génération savent d'ailleurs qu'après la naissance du premier bébé, avoir une chambre avec vue sur la belle-mère est très sécurisant ! La nature a préféré recycler nos vieux corps et a caché une partie de notre immortalité dans les spermatozoïdes et les ovules.

« Pour pallier le sevrage des molécules de cette passion amoureuse qui nous rapproche, et que bien des évolutionnistes pensent être un piège inventé par nos gènes pour se perpétuer, la nature a aussi pensé à un ciment hormonal qui aide le couple à rester uni après la passion. C'est entre autres une molécule qui s'appelle l'ocytocine. Elle augmente notre sensibilité au toucher et nous porte aux rapprochements et aux étreintes.

« En vérité, Anthony, si la nature a voulu nous accorder cette chance de vieillir ensemble dans une famille, c'est peut-être aussi pour que les grands-parents puissent faire profiter de leur expérience à leurs petits-enfants et leur donner toutes les chances de survivre et de perpétuer les gènes qu'ils partagent avec eux.

« La frontière entre la mère et la grand-mère est très poreuse. C'est pour cela que lorsqu'une femme est enceinte d'une petite fille, elle porte aussi une partie de ces petits-enfants potentiels. En effet, avant d'arriver à terme, cette fillette confortablement installée dans le ventre de sa maman a déjà tous ces ovules potentiels dans son petit corps. Ce qui veut dire, Anthony, que ta grand-mère a porté une partie de toi alors que ta propre mère était dans son ventre. À croire que la nature avait voulu que ta grand-mère soit un peu ta mère elle aussi. Comme quoi, bien avant la biologie, la langue française avait raison de parler de grand-maman.

« Voilà, Anthony, pourquoi il faut fêter doublement les grand-mamans à la fête des Mères. »

CONCLUSION

La reproduction sexuée est une entreprise exigeante. Pour les mâles, elle oblige à trouver une partenaire, entrer dans des parades, développer des couleurs, psalmodier des chansons, livrer des combats, sceller des alliances, arborer des ornementations comme les panaches ou une queue encombrante. Sans compter que pour la grande majorité des animaux, les parades nuptiales les rendent vulnérables à la prédation. En vérité, le sexe est biologiquement si compliqué que c'est à se demander pourquoi les animaux, dont les humains, n'ont pas renoncé à cette forme de reproduction.

En revanche, dans cette entreprise de multiplication énergivore et périlleuse, chez les mammifères, ce sont les femelles qui payent le plus lourd tribut, elles qui assurent très souvent la gestation et l'élevage des petits. Elles font tout le travail pour fournir sa descendance au mâle qui, de son côté, se contente de semer une poignée de minuscules coquilles presque vides. C'est comme si, dans un partenariat à deux, un seul se tapait tout le travail pour ne récolter que la moitié des bénéfices.

Cette apparente injustice a amené les biologistes de l'évolution à considérer que les femelles étaient naturellement désavantagées dans cette association. On peut penser que l'hermaphrodisme, bien présent dans le monde animal, aurait été une option plus profitable, car ainsi, en se passant des spermatozoïdes étrangers, les femelles investiraient toute leur énergie pour assurer la transmission de 100 % de leur génétique. Mais, si la nature a misé sur la sexualité pour la perpétuation de la grande majorité des espèces animale et végétale, c'est parce qu'il y a des avantages à avoir deux parents différents. Pour cause, cette reproduction sexuée est une succession de hasards qui aboutit à un réarrangement des gènes provenant des deux parents en une combinaison exclusive à la descendance. Elle crédite chaque enfant d'un couple de particularités génétiques uniques qui le différencient de ses parents et de ses frères et sœurs.

C'est dans cette hétérogénéité que résident la plupart des bienfaits de la multiplication sexuée. Elle attribue des avantages à la descendance dans ce que les biologistes qualifient de « course aux armements » : une guerre ouverte nous opposant continuellement à nos parasites qui cherchent à nous dominer. Évidemment, au-delà de la reproduction, le sexe est aussi un puissant catalyseur de liens sociaux. L'amour bien vrai et naturel entre personnes de même sexe est là pour nous rappeler cet autre rôle de la sexualité que l'obsession pour les gènes ne doit jamais faire oublier.

Entre les animaux et leurs parasites, il y a en effet une course permanente aux armements où chaque camp doit affiner et augmenter sa force de frappe pour ne pas disparaître. Dans cette guerre biologique, la reproduction sexuée permet de produire une diversité génétique qui pourvoit parfois la descendance de nouvelles armes dont ne disposaient pas les parents, des armes qui lui permettront donc de gagner là où les ancêtres avaient failli devant l'ennemi. En somme, si mon système immunitaire diffère celui de mon conjoint ou de ma conjointe, nos enfants hériteront d'une troisième combinaison, ce qui avantage la survie de nos gènes. C'est de cette façon, par exemple, que dans un avenir lointain naîtront peut-être de plus en plus d'humains résistants au virus ravageur du sida. Autrement dit, et aussi bizarre que cela puisse paraître, c'est en s'accouplant qu'on arrivera un jour à damer le pion au sida. Voilà pourquoi la nature a misé sur cette forme de perpétuation chez la plupart des espèces. Le sexe, c'est le plaisir, c'est la vie, c'est la mort, c'est la peur, c'est la guerre, c'est la paix, c'est l'amour.

Maintenant que vous savez comment on fait des petits enfants, apprenons ensemble à en faire de grands humains. La recette est assez simple : il faut de bons parents et beaucoup d'amour. Apprenons aux garçons à être des alliés indéfectibles des femmes dans cette lutte à finir pour l'égalité entre les sexes.

Merci aux papas ! Merci aux mamans qui ont porté leurs enfants dans leur ventre. Merci aux mamans adoptives qui ont porté leurs enfants dans leur cœur. Et qui les portent encore. Merci d'être ce que vous êtes, mères aux francs cœurs, merci pour ce que nous sommes et pour ce que nous serons.

POUR EN SAVOIR PLUS

Anderson, Deborah J. "Coca-Cola Douches and Contraception." *British Medical Journal*, December 2008.

Beckerman, Stephen, et Paul Valentine. *Cultures of Multiple Fathers. The Theory and Practice of Partible Paternity in Lowland South America*. University Press of Florida, Gainesville, 2002, 291 p.

Bombya, Alice, et Cyril Azouvi. « Qu'est-ce qui fait durer un couple ? » *Ça m'intéresse*, n° 390, août 2013, p. 54-63.

Brewer, Gayle, et Colin A. Hendrie. "Evidence to Suggest that Copulatory Vocalizations in Women Are Not a Reflexive Consequence of Orgasm." *Archives of Sexual Behavior*, June 2011, 40, p. 559-564.

Brown, Richard E. "Sexual Arousal, the Coolidge Effect and Dominance in the Rat (*rattus norvegicus*)." *Animal Behaviour*, vol. 22, n° 3, août 1974, p. 634-637.

Browaeys, Dorothée Benoit. *Cerveau, sexe et pouvoir*. Éditions Belin, 2005.

Burri, A. V., L. Cherkas et T. D. Spector. "Genetic and Environmental Influences on Self-Reported G-Spots in Women: A Twin Study." *Journal of Sexual Medicine*, 2010, 7, p. 1842-1852.

Daly, Martin, Margo Wilson. *La vérité sur Cendrillon. Un point de vue darwinien sur l'amour parental*. Paris, Cassini, 2002, p. 13-51.

Dawkins, Richard. *Le gène égoïste*. Paris, Odile Jacob, 2008, 436 p.

De Waal, Frans. *Le bonobo, Dieu et nous*. Éditions Les Liens qui libèrent, 2013, 372 p.

Dixson, A. F. "Observations on the Evolution and Behavioral Significance of « Sexual Skin » in Female Primates." *Advances in the Study of Behavior*, 1983, 13, p. 63-106.

Ducret, Diane. *La chaire interdite*. Albin Michel, 2014, 361 p.

Emsley, John. *Sexe, bonheur et cosmétique. Les nouveaux pouvoirs de la chimie*. Traduit de l'anglais par Ghania Boucekkine. Dunod, 2004, 367 p.

Fausto-Sterling, Anne (trad.), et Anne-Emmanuelle Boterf. *Les cinq sexes : Pourquoi mâle et femelle ne suffisent pas* (1re éd.). Paris, Payot, coll. « Petite Bibliothèque Payot n° 917 », avril 2013, 96 p.

Garver-Apgar C. E., S. W. Gangestad et R. Thornhill. "Hormonal Correlates of Women's Mid-Cycle Preference for the Scent of Symmetry." *Evolution and Human Behavior* (2008), 29, p. 223-232.

Gilbert, Scott F. *Biologie du développement* (2e édition). 2004, 836 p.

Holland, Julie. *Assumons nos humeurs! Sexe, hormones, sommeil, médicaments... La vérité sur tout ce qui nous rend dingues!* Robert Laffont, 416 p.

Hong, C. Y., C. C. Shieh, P. Wu et B. N. Chiang. "The Spermicidal Potency of Coca-Cola and Pepsi-Cola." *Human Toxicology*, 1987, 6, p. 395-396.

Hugnet, Guy, Hervé Ratel, Sylvie Riou-Milliot et Elena Sender. « Plaisir sur ordonnance », *Science et avenir*, février 2009, p. 44-59.

Hurlbert, A. C., et Y. Ling. "Biological Components of Sex Differences in Color Preference." *Curr. Biol*, 2007, 17, p. R623–R625.

Kellogg, J. H. *Treatment for Self-Abuse and Its Effects. Plain Facts for Old and Young*. Burlington, Iowa, F. Segner & Co, 1888, 225 p.

Kirk-Smith, Michael. "Human Social Attitudes Affected by Androstenol." *Research Communications in Psychology, Psychiatry & Behavior*, 1978, 3(4), p. 379-384.

Kirshenbaum, Sheril. *The Science of Kissing (La Science du baiser)*. Oxford University Press, 2011, 272 p.

La naissance. *La Recherche*, numéro spécial, décembre 2012.

Larousserie, David. *Le point G existe-t-il et 59 autres énigmes de la science.* L'Archipel, 2008.

Le sexe moteur de l'évolution. *Québec Science*, numéro spécial, août 2013.

Les nouveaux mystères du sexe. *Science et Vie*, numéro spécial, mars 2012.

Lloyd, Elisabeth, et John Sutherland. « L'orgasme féminin, à quoi ça sert ? » *Le Courrier international*, 2006, 800, p. 48-49.

Lodé, Thierry. *Pourquoi les animaux trichent et se trompent ; les infidélités de l'évolution*. Odile Jacob, 2013, 326 p.

Lynn, Richard. "Rushton's r–K Life History Theory of Race Differences in Penis Length and Circumference Examined in 113 Populations (link is external)." *Personality and Individual Differences*, 2013, 55(3), p. 261-266.

Maines, Rachel P. *Technologies de l'orgasme. Le vibromasseur, l'« hystérie » et la satisfaction sexuelle des femmes*. Payot édition, 2009, 268 p.

Marieb, Elaine N. *Anatomie et physiologie humaines* (adaptation de la 6e édition américaine). Adaptation française de René Lachaîne, Pearson Education, France 2005, 1288 p.

Martin-Chauffier, Gilles. « La reine Marie-Thérèse accouche d'un bébé noir. » *Paris Match*, 28/07/2014.

McClintock, M. K. "Menstrual Synchrony and Suppression." *Nature* (January 1971), 229(5282), p. 244-255.

Miller, Geoffrey, Joshua M. Tybus et Brent D. Jordan. "Evolution and Human Behavior. Ovulatory Cycle Effects on Tip Earnings by Lap Dancers: Economic Evidence for Human Estrus?" *Evolution and Human Behavior*, 2007, 28(6), p. 375-381.

Naître aujourd'hui. *Science et Vie*, numéro spécial, décembre 2009.

Neuf mois pour venir au monde. *Science et Vie*, numéro spécial, mars 2006.

O'Connor, Anahad. *100 idées tordues sur le corps, la santé, le sexe*. Dunod, 2008, 247 p.

Pagel, M., et W. Bodmer. "The Evolution of Human Hairlessness: Cultural Adaptations and the Ectoparasite Hypothesis." In Wasser, S.P. (ed.) *Evolutionary Theory and Processes: Modern Horizons* (p. 329-336) (papers in honour of Eviatar Nevo). Kluwer Academic Publishers, London, 2004.

Pour en savoir plus 269

Pazda, D. Adam, Andrew J. Elliot, Tobias Greitemeyer. "Sexy Red: Perceived Sexual Receptivity Mediates the Red-Attraction Relation in Men Viewing Woman." *Journal of Experimental Social Psychology*, 2011, *48*(3), p. 787.

Pease, Barbara, et Allan Pease. *Pourquoi les hommes n'écoutent jamais rien et les femmes ne savent pas lire les cartes routières?* Pocket Éditions, 2010, 432 p.

Pitshandenge, Séraphin Ngondo A. « La polyandrie chez les Bashilele du Kasaï occidental (Zaïre) fonctionnement et rôles. » Disponible dans les cahiers du Centre population et développement Ceped de France. http://www.ceped.org/cdrom/integral_publication_1988_2002/dossier/pdf/dossiers_cpd_42.pdf

Porte, Florence, et Josée Nadia Drouin. *Le sexe de la science*. Multi Mondes, 2003, 121 p.

Raven, Catherine. « Le pygargue, emblème des États-Unis. Un aigle, ça? Non, seulement un charognard. » Traduit de American Scientist, 2006.

Raymond, Michel. *Cro-Magnon toi-même! Petit guide darwinien de la vie quotidienne*. Éditions du Seuil, 2008, 252 p.

Roberts, E. K., A. Lu, T. J. Bergman, J. C. Beehner. "The Bruce Effect in Wild Geladas." *Science*, 2012, 335, p. 1222-1225.

Sablonnière, Bernard. *La chimie des sentiments*. Jean-Claude Gawsewitch Éditeur, 2012, 208 p.

Savic L., H. Berglund, P. Lindström. "Brain Response to Putative Pheromones in Homosexual Men." *Procedings of the National Academy of Science*, USA, 2005, May 17.

Sherwood, Lauralee. *Physiologie humaine*. Traducteur : Fabian Ectors, De Bœck, 2015, 746 p.

Silverman, I., S. Tombset, M. Fisher. *Pupillometry: A Sexual Selection Approach*. Paper presented at the annual meeting of the Human Behaviour and Evolution Society, Amherst, MA (June 2000).

Singh, Devendra. "Ideal Female Body Shape: Role of Body Weight and Waist-to-Hip Ratio." *International Journal of Eating Disorders*, 1994, *16*(3), p. 283-288.

Stern K., M. K. McClintock. "Regulation of Ovulation by Human Pheromones." *Nature* (March 1998), *392*(6672), p. 177-179.

Swami V., M. J. Tovée. "Does Hunger Influence Judgments of Female Physical Attractiveness?" *British Journal of Psychology*, 2006, 97(3), p. 353-363.

Thornhill, Randy, Steven W. Gangestadt, Randall Comer. "Human Female Orgasm and Mate Fluctuating Asymmetry." *Animal Behaviour*, vol. 50, n° 6, 1995, p. 1601-1615.

Tissot, Samuel-Auguste. *Onanism or, a Treatise Upon the Disorders produced by Masturbation: Or, the Dangerous Effects of Secret and Excessive Venery*. 1760.

Vander, Arthur J. E., P. Widmaier, H. Raff, K. T. Strang. *Physiologie humaine, les mécanismes du fonctionnement de l'organisme*. Éditions Maloine, 784 p.

Van Ingen, Frederika, Catherine Maillard et Corinne Soulay. « Amour et plaisir, comment notre cerveau mène la danse. » *Ça m'intéresse*, n° 366, août 2011, p. 56-66.

Wedekind C., S. Füri. "Body Odour Preferences in Men and Women: Do They Aim for Specific MHC Combinations or Simply Heterozygosity?" *Proc Biol Sci*, 22 octobre 1997, 264(1387), p. 1471-1479.

William, H Crocker. "Canela Marriage: Factors in Change." In *Marriage Practices in Lowland South America* (14, p. 63-98). Edited by Kenneth M. Kensinger, Illinois Studies in Anthropology, Urbana and Chicago, University of Illinois Press, 1984.

Young, Larry, Brian Alexander. *The Chemistry Between Us: Love, Sex, and the Science of Attraction*. Current, Reprint edition, 2014.

REMERCIEMENTS

Je voudrais réserver un merci particulier à mon ami et collaborateur de longue date, Louis-François Grenier, pour sa contribution humoristique significative dans ce texte, mais aussi
dans le spectacle qui porte sur le même sujet. Je remercie ma
conjointe, Caroline, et mes deux enfants, Anthony et Joellie,
pour l'inspiration et le bonheur qu'ils m'apportent tous les
jours. Merci à mon ami Mathieu Fournier pour la profondeur
de son travail de révision, qui a aussi enrichi ce texte. Je remercie mes amies Ève Déziel et Marie-Julie Parent pour leurs
conseils, suggestions et idées. Merci à mon amie Nathalie
Lefrançois, Ph. D., pour ses corrections et suggestions. Merci à
mes amis Pierre Blier, Ph. D., et Pierre Rioux, biologiste, qui ont
catalysé ma curiosité scientifique croisée et cette envie de
raconter autrement la science. Merci, enfin, à ma mère qui, en
plus de m'avoir inculqué très jeune l'égalité entre les sexes,
m'a aussi donné cet humour qui est devenu un outil de communication scientifique et un métier.

TABLE DES MATIÈRES

À propos de l'illustrateur
PHILIPPE BÉHA

Diplômé des Beaux-Arts de Strasbourg, Philippe Béha est illustrateur pigiste à Montréal depuis 40 ans. Il travaille dans les milieux de la publicité, des médias et du monde des affaires au Canada, aux États-Unis et en Europe.

Au cours de sa carrière, il a illustré environ 180 livres en plus d'en avoir écrit une dizaine. Il est reconnu pour sa créativité et son style expressif et ludique.

Il a aussi été chargé de cours en illustration pendant vingt ans à l'Université du Québec à Montréal.

Son travail lui a valu de nombreux prix, dont celui du Gouverneur général du Canada à deux reprises.

279